COLLECTION
FOLIO CLASSIQUE

Beaumarchais

Le Mariage de Figaro

Édition présentée,
établie et annotée
par Pierre Larthomas

Gallimard

Introduction

Le Barbier de Séville, Le Mariage de Figaro *et* La Mère coupable, *joués respectivement en 1775, 1784 et 1792, constituent dans l'œuvre de Beaumarchais la trilogie espagnole. Trilogie parce que, d'une œuvre à l'autre, l'auteur a conservé les mêmes personnages ; espagnole parce que ceux-ci sont espagnols, même s'ils appartiennent à une Espagne de fantaisie et ne doivent pour une grande part leur nationalité qu'à la prudence de Beaumarchais, et à la censure. À la première lecture l'unité de l'ensemble paraît plus apparente que réelle ; les trois pièces sont fort différentes et dans leur structure et dans leur esprit, non seulement parce que l'auteur a vieilli en même temps que ses personnages, mais encore et surtout parce que de 1775 à 1792 la société française et la situation de l'auteur dans cette société ont profondément changé. Il importe avant tout de préciser cette évolution.*

Lorsqu'il écrivait Le Barbier de Séville, *Beaumarchais pensait déjà à la suite qu'il lui donnerait. Et si l'on en croit l'auteur,* Le Mariage de Figaro *est né d'un défi : «Feu M. le prince de Conti me porta le défi public de mettre au théâtre ma préface du*

Barbier[1], *plus gaie, disait-il, que la pièce, et d'y montrer la famille de Figaro, que j'indiquais dans cette préface. "Monseigneur, lui répondis-je, si je mettais une seconde fois ce caractère sur la scène, comme je le montrerais plus âgé, qu'il en saurait quelque peu davantage, ce serait bien un autre bruit; et qui sait s'il verrait le jour!" Cependant, par respect, j'acceptai le défi; je composai cette* Folle Journée, *qui cause aujourd'hui la rumeur[2] »… « Ce serait bien un autre bruit »* : parce que les deux œuvres sont profondément différentes. L'une se passait à Séville, l'autre se passe à la campagne, à trois lieues de la ville; des personnages nouveaux apparaissent, Suzanne, Marceline (qui était simplement nommée dans le* Barbier), *Antonio, le jardinier, sa fille Fanchette, et surtout Chérubin. Bartholo et Bazile, dont le rôle était essentiel, deviennent dans le* Mariage *des personnages secondaires; d'autre part, à l'action relativement simple de la première pièce s'oppose la complexité d'une intrigue qui légitime le sous-titre* La Folle Journée. *Mais l'important n'est pas là; l'important est que dans le* Barbier *Beaumarchais voulait seulement faire rire; dans le* Mariage, *s'il s'agit encore d'amuser, il s'agit de bien autre chose :*

> En faveur du badinage
> Faites grâce à la raison

les deux vers du vaudeville sont mis en exergue à la pièce : « S'il est vrai que je vous amuse, pardonnez-moi

---

1. Dans la « Lettre modérée » qui sert de préface au *Barbier*, l'auteur imaginait plaisamment un sixième acte pour sa pièce (voir l'éd. Folio classique, pp. 31-33).
2. Voir ici p. 28.

*de vous faire penser », veulent-ils dire. C'est ce miracu-
leux équilibre de comique et de sérieux qui fait de la pièce
un chef-d'œuvre.*

*Pour l'obtenir, l'auteur a modifié profondément la
situation et la mentalité des protagonistes. Nous retrou-
vons les jeunes gens qui s'étaient mariés malgré la précaution inutile de Bartholo; mais l'amoureux éperdu
qui se faisait appeler Lindor est devenu un époux infidèle, et Rosine une épouse délaissée. Le Comte se conduit
mal, courtise la fiancée de Figaro et veut jouir, avant
de permettre le mariage, du droit du seigneur. Il
tentera pendant toute la pièce d'arriver à ses fins, mais
échouera dans son entreprise et devra se faire pardonner : «l'*époux suborneur, *contrarié, lassé, harassé,
toujours arrêté dans ses vues, est obligé, trois fois dans
cette journée, de tomber aux pieds de sa femme, qui,
bonne, indulgente et sensible, finit par lui pardonner*[1] ».
*Mais sans illusions, comme en témoigne le dénouement
dont Mozart a souligné la mélancolie.*

*La pièce nous présente donc un couple qui se défait,
par habitude, par lassitude, une fois éteintes les premières ardeurs de l'amour. Mais il s'agit de bien autre
chose, comme l'indique la préface qui, écrite après la
pièce et une fois que l'auteur fut assuré de son succès,
tient compte des réactions du public, des critiques, et permet surtout à Beaumarchais de définir ses intentions et
de préciser des vues plus générales sur l'art dramatique.
On peut en dégager un certain nombre d'idées essen-
tielles. Souligner tout d'abord la phrase capitale qui,
aux yeux de l'auteur, justifie toutes ses pièces : «J'ai
pensé, je pense encore, qu'on n'obtient ni grand pathé-*

---

1. Voir p. 32.

tique, ni profonde moralité, ni bon et vrai comique au
théâtre, sans des situations fortes qui naissent toujours
d'une disconvenance sociale dans le sujet qu'on veut
traiter[1]. » Or cette notion de « disconvenance sociale » est
difficile à cerner. Pour y parvenir il faut en premier lieu
constater que l'intrigue ne se limite pas à l'histoire d'un
couple, comme pourrait le faire croire la phrase déjà
citée, ni même à l'affrontement des deux couples. Le
nombre des personnages et les péripéties de l'action indiquent assez que l'œuvre met en scène une famille que
nous avons l'impression de surprendre dans son inti-
mité. Il faut prendre le mot famille dans son sens latin,
inclure dans ce groupe les domestiques, comprendre que
c'est toute une petite société qui nous est dépeinte, du
Comte, « grand corrégidor d'Andalousie » et à ce titre
ayant droit de vie et de mort sur ses sujets, à Grippesoleil,
« jeune patoureau », qui est tout heureux d'être « de la
compagnie » de son maître[2]. Entre ces deux extrêmes les
personnages s'échelonnent suivant une hiérarchie com-
plexe, chacun ayant conscience de son état et des avantages ou des servitudes qu'il implique. Bazile, « maître
de clavecin de la Comtesse », est furieux de devoir jouer
pour le petit berger, Figaro, « concierge » c'est-à-dire
intendant du château, traite de « coquins » les valets
qu'il a sous ses ordres[3], et le Comte s'écrie dans sa
colère : « Des libertés chez mes vassaux, qu'importe à
gens de cette étoffe[4] ? » Mais il ne faudrait pas simplifier
outre mesure la nature de ces liens sociaux. C'est un
mérite de la pièce que d'établir entre les quatre protago-

1. P. 22.
2. Acte II, sc. XXII.
3. Acte V, sc. II.
4. Acte III, sc. IV.

nistes des rapports subtils qui ne sont pas simplement
de maîtres à valets. Suzanne est d'origine paysanne, la
nièce de cet ivrogne d'Antonio, mais Bazile lui a appris
à chanter, elle joue de la guitare, et, « première camariste », tient auprès de la Comtesse le rôle d'une dame de
compagnie, tantôt amie, tantôt servante. Figaro est un
ancien barbier, néanmoins il a une fonction importante,
homme d'affaires qui a su se rendre indispensable,
« valet » certes, mais dont le maître redoute l'intelligence.
L'ambiguïté de ces rapports, autant que la passion du
Comte, crée la « disconvenance sociale » que l'auteur
définit en une phrase qui résume la pièce : « Un grand
seigneur espagnol, amoureux d'une jeune fille qu'il veut
séduire, et les efforts que cette fiancée, celui qu'elle doit
épouser, et la femme du seigneur réunissent pour faire
échouer dans son dessein un maître absolu que son
rang, sa fortune, et sa prodigalité rendent tout-puissant
pour l'accomplir[1]. » Il y a « disconvenance » parce que le
Comte ne reste pas à sa place ; pour faire échouer ses projets la Comtesse est obligée de s'allier à ses domestiques.
Trois contre un ; contre un, tout-puissant parce que
mari et parce que maître ; et vaincu malgré sa noblesse,
son pouvoir et son argent, vaincu par l'intelligence et
finalement le bon droit.

C'étaient les péripéties de cette lutte, si adroitement
imaginées, qui rendaient la pièce dangereuse. Louis XVI
ne s'y est pas trompé qui en a retardé la représentation
autant qu'il l'a pu. Mais l'opinion déjà était la plus
forte et la première fut un triomphe. Triomphe périlleux
pour l'auteur qui à la fin de sa préface[2] justifie trois

1. Préface, p. 30.
2. Pp. 50-55.

*répliques jugées subversives. L'allusion aux Ursulines
nous paraît bien anodine ; par contre les remarques sur
les soldats et les courtisans pouvaient à juste titre scan-
daliser des censeurs prompts à s'effaroucher. De là à
faire de l'auteur un révolutionnaire, c'est trop facile pour
nous qui savons que la Révolution a eu lieu ; en 1784,
les répliques célèbres, dont certaines sont d'ailleurs
empruntées, n'allaient pas plus loin que telle ou telle
phrase de Montaigne ou de La Bruyère, mais le genre
dramatique leur donnait une force nouvelle et le public
de cette fin d'époque était toujours prompt à saisir la
moindre allusion et à approuver bruyamment les traits
satiriques contre le pouvoir. « Souviens-toi qu'un homme
sage ne se fait point d'affaires avec les grands », conseille
Bartholo à Figaro[1]. C'est un conseil que Beaumarchais
se donnait à lui-même, lui qui, désireux de réussir,
n'était plus ni artisan ni bourgeois, devenu noble sans
jamais l'être vraiment, et de ce fait jalousé par les uns et
méprisé par les autres. On a trop souvent confondu
l'écrivain et son barbier, mais les deux ont en commun
le même sentiment de défiance à l'égard de ceux « qui se
sont donné la peine de naître, et rien de plus ». Le grand
monologue clame la rancœur d'un homme courageux et
actif que la vie n'a pas mis à sa vraie place.*

*La préface a le mérite d'éclairer sur un autre point les
intentions de l'auteur. Ce dernier a voulu faire de son
œuvre une comédie où le « badinage » fait supporter la
« raison », et elle eût pu aussi bien appartenir au « genre
dramatique sérieux » qu'en bon disciple de Diderot
Beaumarchais avait défini dans un* Essai[2] *et illustré*

---

1. Acte V, sc. III.
2. L'*Essai sur le genre dramatique sérieux* sert de préface à *Eugénie*.

par ses deux premières pièces Eugénie *(1767) et* Les
Deux Amis *(1770). De là le caractère hybride de l'œuvre
et le passage, écrit le plus sérieusement du monde, dont
les acteurs n'ont pas voulu et que l'auteur a recueilli
dans sa préface[1]. De là le titre, «véritable» dit la préface, qui eût été* L'Époux suborneur. *(Précision intéressante : pour Beaumarchais, c'est finalement le Comte
qui est le personnage principal.) De là enfin le caractère
de certaines scènes qui hésitent entre le rire et les larmes,
en particulier la scène de la reconnaissance qui emprunte
à la tradition picaresque certains éléments, mais pro-
voque une émotion réelle qu'exprime avec vigueur
Figaro : «Va te promener, la honte ! Je veux rire et pleurer en même temps ; on ne sent pas deux fois ce que
j'éprouve[2].» Comme les personnages, les spectateurs de
cette fin de siècle étaient à la fois attendris et amusés. Ce
passage nous fait seulement rire.*

 *Il est encore un autre point sur lequel nos réactions
de spectateurs modernes diffèrent : nous trouvons charmantes les relations entre les deux femmes et Chérubin et
nous sommes prêts à tout pardonner au jeune page,
«un enfant de treize ans» qui «n'est plus un enfant»
mais «n'est pas encore un homme[3]». L'insistance avec
laquelle Beaumarchais défend la vertu de ses personnages indique assez que les contemporains ont souvent
jugé équivoques et de ce fait condamnables les relations
de la Comtesse et de son filleul. Ce que confirment les critiques. Nous voyons surtout en Rosine l'épouse délaissée
mais La Harpe n'accepte pas l'analyse faite par l'auteur*

1. Voir pp. 39-41 et acte III, sc. xvi.
2. Acte III, sc. xviii.
3. Préface, p. 36.

dans sa préface : «*Personne ne pense à s'apitoyer sur l'abandon de la Comtesse qui passe son temps à faire l'amour avec son page.*» *Réaction pour nous inattendue qui devait être celle de beaucoup de spectateurs en un temps où régnait la « décence théâtrale » dénoncée au début de la préface comme une hypocrisie « auprès du relâchement des mœurs » et comme une entrave à la création littéraire.*

Entrave dont l'auteur a su se libérer pour écrire un chef-d'œuvre. Nous savons qu'il jugeait les deux derniers actes inférieurs aux trois premiers, que la longueur du grand monologue l'avait inquiété et qu'il avait demandé conseil à Préville, son ami, qui jouait Brid'oison, et avait été un admirable Figaro dans le Barbier. *Nous savons aussi, par les manuscrits, ce qu'ont coûté de travail l'éclat du style et son apparente facilité. Ce qu'on a le moins souligné peut-être en Beaumarchais, c'est l'homme de théâtre, le metteur en scène qui multiplie les indications scéniques, assiste aux répétitions, prodigue ses conseils aux acteurs, exige d'eux obéissance et rigueur, et, en avance sur son temps, attache la plus grande importance aux éléments paraverbaux (décors, éclairages, attitudes) qui justifient le texte et assurent son efficacité. Le cinquième acte, de ce fait, est peu lisible : bel exemple de théâtre total, il a été écrit pour être représenté. C'est à la scène surtout que cette œuvre révèle sa richesse et, comme en témoigne la permanence de son succès, sa modernité.*

Un mot enfin sur l'auteur et ses musiciens. Pour rappeler d'abord que Beaumarchais adorait la musique, était capable de composer, a écrit le livret d'un opéra, Tarare, *qui a été joué avec succès. Il y a moins de musique dans le* Mariage *que dans le* Barbier, *mais*

*Chérubin chante une romance dont le timbre est une chanson populaire, Figaro une séguedille, Bazile rentre en scène (acte IV) en chantant un air qui sera celui du vaudeville. Autant d'*airs notés *que l'auteur avait vraisemblablement rapportés d'Espagne.. Le 1ᵉʳ mai 1786, c'est-à-dire deux ans presque jour pour jour après le* Mariage, *sont jouées à Vienne* Les Noces de Figaro. *La comparaison des deux chefs-d'œuvre est riche d'enseignements ; les modifications que le librettiste Da Ponte fait subir au texte de Beaumarchais sont intéressantes à étudier ; mais surtout la musique de Mozart commente le texte avec une profondeur dont étaient bien incapables les critiques littéraires de l'époque.*

Pierre Larthomas.

La Folle Journée

ou

Le Mariage de Figaro

COMÉDIE EN CINQ ACTES, EN PROSE

En faveur du badinage,
Faites grâce à la raison.

Vaudeville
de la pièce.

Préface

En écrivant cette préface, mon but n'est pas de rechercher oiseusement[1] si j'ai mis au théâtre une pièce bonne ou mauvaise ; il n'est plus temps pour moi ; mais d'examiner scrupuleusement, et je le dois toujours, si j'ai fait une œuvre blâmable.

Personne n'étant tenu de faire une comédie qui ressemble aux autres, si je me suis écarté d'un chemin trop battu, pour des raisons qui m'ont paru solides, ira-t-on me juger, comme l'ont fait MM. tels, sur des règles qui ne sont pas les miennes ? imprimer puérilement que je reporte l'art à son enfance, parce que j'entreprends de frayer un nouveau sentier à cet art dont la loi première, et peut-être la seule, est d'amuser en instruisant ? Mais ce n'est pas de cela qu'il s'agit.

Il y a souvent très loin du mal que l'on dit d'un ouvrage à celui qu'on en pense. Le trait qui nous poursuit, le mot qui importune reste enseveli dans le cœur, pendant que la bouche se venge en blâmant presque tout le reste. De sorte qu'on peut regarder comme un point établi au théâtre, qu'en fait de reproche à l'auteur, ce qui nous affecte le plus est ce dont on parle le moins.

---

1. *Oiseusement* : inutilement. Cet adverbe, qui existait dans l'ancienne langue, a été recréé par Beaumarchais, mais n'est guère resté.

Il est peut-être utile de dévoiler aux yeux de tous ce double aspect des comédies, et j'aurai fait encore un bon usage de la mienne, si je parviens, en la scrutant, à fixer l'opinion publique sur ce qu'on doit entendre par ces mots : Qu'est-ce que LA DÉCENCE THÉÂTRALE ?

À force de nous montrer délicats, fins connaisseurs, et d'affecter, comme j'ai dit autre part[1], l'hypocrisie de la décence auprès du relâchement des mœurs, nous devenons des êtres nuls, incapables de s'amuser et de juger de ce qui leur convient, faut-il le dire enfin ? des bégueules rassasiées[2] qui ne savent plus ce qu'elles veulent ni ce qu'elles doivent aimer ou rejeter. Déjà ces mots si rebattus, *bon ton, bonne compagnie*, toujours ajustés au niveau de chaque insipide coterie et dont la latitude est si grande qu'on ne sait où ils commencent et finissent, ont détruit la franche et vraie gaieté qui distinguait de tout autre le comique de notre nation.

Ajoutez-y le pédantesque abus de ces autres grands mots, *décence* et *bonnes mœurs*, qui donnent un air si important, si supérieur que nos jugeurs de comédies seraient désolés de n'avoir pas à les prononcer sur toutes les pièces de théâtre, et vous connaîtrez à peu près ce qui garrotte le génie, intimide tous les auteurs, et porte un coup mortel à la vigueur de l'intrigue, sans laquelle il n'y a pourtant que du bel esprit à la glace[3] et des comédies de quatre jours.

Enfin, pour dernier mal, tous les états[4] de la société sont parvenus à se soustraire à la censure dramatique :

1. Dans la *Lettre modérée sur la chute et la critique du «Barbier de Séville»*, éd. Folio classique, p. 27.
2. *Bégueule* : terme injurieux pour désigner une femme prude ou dédaigneuse. *Rassasiées* : blasées.
3. Le terme de *bel esprit*, utilisé en un sens favorable encore par Marivaux, est le plus souvent péjoratif en cette seconde moitié du XVIIIe siècle. *À la glace* se disait plutôt des œuvres : «Oui, en vérité, notre théâtre est à la glace» (lettre de d'Alembert à Voltaire du 31 octobre 1761 ; cité par Littré).
4. *État* désigne la condition sociale, au sens très large du terme.

on ne pourrait mettre au théâtre *Les Plaideurs* de Racine, sans entendre aujourd'hui les Dandins et les Brid'oisons[1], même des gens plus éclairés, s'écrier qu'il n'y a plus ni mœurs ni respect pour les magistrats.

On ne ferait point le *Turcaret*[2], sans avoir à l'instant sur les bras fermes, sous-fermes, traites et gabelles, droits-réunis, tailles, taillons, le trop-plein, le trop-bu, tous les impositeurs royaux[3]. Il est vrai qu'aujourd'hui *Turcaret* n'a plus de modèles. On l'offrirait sous d'autres traits, l'obstacle resterait le même.

On ne jouerait point *les fâcheux, les marquis, les emprunteurs* de Molière, sans révolter à la fois la haute, la moyenne, la moderne et l'antique noblesse. Ses *Femmes savantes* irriteraient nos féminins bureaux d'esprit[4]; mais quel calculateur peut évaluer la force et la longueur du levier qu'il faudrait, de nos jours, pour élever jusqu'au théâtre l'œuvre sublime du *Tartuffe*? Aussi l'auteur qui se compromet avec le public, *pour l'amuser, ou pour l'instruire*, au lieu d'intriguer à son choix son ouvrage, est-il obligé de tourniller[5] dans des incidents impossibles, de persifler au lieu de rire, et de prendre ses modèles hors de la société, crainte de se trouver mille ennemis, dont il ne connaissait aucun en composant son triste drame.

J'ai donc réfléchi que si quelque homme courageux

1. Dandin et Brid'oison : ces deux noms de juge se trouvent déjà dans Rabelais (*Le Tiers Livre*, chap. xli et xxxix).
2. *Turcaret ou le Financier* (1709) de Lesage met en scène un laquais devenu homme d'affaires.
3. Noms de divers impôts. Les *traites* touchaient les marchandises importées ou exportées. La *gabelle* était l'impôt sur le sel. Les *droits-réunis* désignaient la régie qui percevait la majeure partie des droits de consommation. La *taille* et son supplément le *taillon* étaient des impôts auxquels échappaient les nobles et les ecclésiastiques. Le *trop-bu* était un droit levé sur les boissons. *Trop-plein* semble être mis là par plaisanterie.
4. Un *bureau d'esprit* était une *société* où l'on s'occupait de littérature. L'expression était habituellement péjorative.
5. *Tourniller* : tourner de côté et d'autre.

ne secouait pas toute cette poussière, bientôt l'ennui
des pièces françaises porterait la nation au frivole
opéra-comique, et plus loin encore, aux boulevards, à
ce ramas infect de tréteaux élevés à notre honte, où la
décente liberté, bannie du théâtre français, se change
en une licence effrénée, où la jeunesse va se nourrir de
grossières inepties, et perdre, avec ses mœurs, le goût
de la décence et des chefs-d'œuvre de nos maîtres. J'ai
tenté d'être cet homme, et si je n'ai pas mis plus de
talent à mes ouvrages, au moins mon intention s'est-
elle manifestée dans tous.

J'ai pensé, je pense encore, qu'on n'obtient ni grand
pathétique, ni profonde moralité, ni bon et vrai
comique au théâtre, sans des situations fortes et qui
naissent toujours d'une disconvenance sociale dans le
sujet qu'on veut traiter. L'auteur tragique, hardi dans
ses moyens, ose admettre le crime atroce : les conspi-
rations, l'usurpation du trône, le meurtre, l'empoison-
nement, l'inceste, dans *Œdipe* et *Phèdre*; le fratricide
dans *Vendôme*; le parricide dans *Mahomet*; le régicide
dans *Macbeth*[1], etc., etc. La comédie, moins audacieuse,
n'excède pas les disconvenances, parce que ses tableaux
sont tirés de nos mœurs, ses sujets de la société. Mais
comment frapper sur l'avarice, à moins de mettre en
scène un méprisable avare? démasquer l'hypocrisie
sans montrer, comme Orgon, dans le *Tartuffe*, un abo-
minable hypocrite *épousant sa fille et convoitant sa femme*[2]?
un homme à bonnes fortunes, sans le faire parcourir un
cercle entier de femmes galantes? un joueur effréné,
sans l'envelopper de fripons, s'il ne l'est pas déjà lui-
même?

Tous ces gens-là sont loin d'être vertueux; l'auteur

1. L'*Œdipe* est celui de Corneille ou celui de Voltaire (1718),
auquel appartiennent les deux autres œuvres : *Adélaïde du Guesclin*
(1734 — Vendôme y tue son frère) et *Mahomet* (1741). *Macbeth*
venait d'être adapté par Ducis (1784).
2. Rappel du vers 1546 (acte IV, sc. VII) : «Vous épousiez ma
fille, et convoitiez ma femme! »

ne les donne pas pour tels ; il n'est le patron d'aucun d'eux ; il est le peintre de leurs vices. Et parce que le lion est féroce, le loup vorace et glouton, le renard rusé, cauteleux, la fable est-elle sans moralité ? Quand l'auteur la dirige contre un sot que la louange enivre, il fait choir du bec du corbeau le fromage dans la gueule du renard ; sa moralité est remplie ; s'il la tournait contre le bas flatteur, il finirait son apologue ainsi : « Le renard s'en saisit, le dévore, mais le fromage était empoisonné. » La fable est une comédie légère, et toute comédie n'est qu'un long apologue ; leur diffé-rence est que dans la fable les animaux ont de l'esprit, et que dans notre comédie les hommes sont souvent des bêtes, et, qui pis est, des bêtes méchantes.

Ainsi, lorsque Molière, qui fut si tourmenté par les sots, donne à *L'Avare* un fils prodigue et vicieux qui lui vole sa cassette et l'injurie en face, est-ce des vertus ou des vices qu'il tire sa moralité ? Que lui importent ses fantômes ? c'est vous qu'il entend corriger. Il est vrai que les afficheurs et balayeurs littéraires[1] de son temps ne manquèrent pas d'apprendre au bon public com-bien tout cela était horrible ! Il est aussi prouvé que des envieux très importants, ou des importants très envieux, se déchaînèrent contre lui. Voyez le sévère Boileau, dans son épître au grand Racine, venger son ami qui n'est plus, en rappelant ainsi les faits :

> *L'ignorance et l'erreur à ses naissantes pièces*
> *En habits de marquis, en robes de comtesses,*
> *Venaient pour diffamer son chef-d'œuvre nouveau,*
> *Et secouaient la tête à l'endroit le plus beau.*
> *Le commandeur voulait la scène plus exacte ;*
> *Le vicomte, indigné, sortait au second acte :*
> *L'un, défenseur zélé des dévots mis en jeu,*
> *Pour prix de ses bons mots, le condamnait au feu ;*

---

1. Expression employée par Beaumarchais pour désigner les journalistes.

L'autre, fougueux marquis, *lui déclarant la guerre,*
Voulait venger la Cour immolée au parterre[1].

On voit même dans un placet de Molière à Louis XIV
qui fut si grand en protégeant les arts, et sans le goût
éclairé duquel notre théâtre n'aurait pas un seul chef-
d'œuvre de Molière, on voit ce philosophe auteur se
plaindre amèrement au roi que, pour avoir démasqué
les hypocrites, ils imprimaient partout qu'il était «un
libertin, un impie, un athée, un démon vêtu de chair,
habillé en homme[2]»; et cela s'imprimait avec APPRO-
BATION ET PRIVILÈGE de ce roi qui le protégeait : rien
là-dessus n'est empiré.
Mais, parce que les personnages d'une pièce s'y
montrent sous des mœurs vicieuses, faut-il les bannir
de la scène ? Que poursuivrait-on au théâtre ? les travers
et les ridicules ? cela vaut bien la peine d'écrire ! ils sont
chez nous comme les modes; on ne s'en corrige point,
on en change.
Les vices, les abus, voilà ce qui ne change point, mais
se déguise en mille formes sous le masque des mœurs
dominantes; leur arracher ce masque et les montrer à
découvert, telle est la noble tâche de l'homme qui se
voue au théâtre. Soit qu'il moralise en riant, soit qu'il
pleure en moralisant, Héraclite ou Démocrite[3], il n'a
pas un autre devoir; malheur à lui s'il s'en écarte. On
ne peut corriger les hommes qu'en les faisant voir tels
qu'ils sont. La comédie utile et véridique n'est point un
éloge menteur, un vain discours d'académie.

---

1. Épître VII, v. 23-32. Au septième vers, Beaumarchais a rem-
placé *bigots* par *dévots*. Les deux derniers vers font allusion à la
scène de *La Critique de l'École des femmes*, où le «fougueux marquis»
se plaint des réactions du parterre.
2. Le texte exact du premier placet (1664) est : «Je suis un
démon vêtu de chair et habillé en homme, un libertin, un impie
digne d'un supplice exemplaire. »
3. D'après la tradition, Démocrite riait de la folie humaine,
Héraclite s'en affligeait.

Mais gardons-nous bien de confondre cette critique générale, un des plus nobles buts de l'art, avec la satire odieuse et personnelle : l'avantage de la première est de corriger sans blesser. Faites prononcer au théâtre par l'homme juste, aigri de l'horrible abus des bienfaits : « tous les hommes sont des ingrats » ; quoique chacun soit bien près de penser comme lui, personne ne s'offensera. Ne pouvant y avoir un ingrat sans qu'il existe un bienfaiteur, ce reproche même établit une balance égale entre les bons et mauvais cœurs ; on le sent, et cela console. Que si l'humoriste[1] répond qu'« un bienfaiteur fait cent ingrats », on répliquera justement qu'« il n'y a peut-être pas un ingrat qui n'ait été plusieurs fois bienfaiteur » : cela console encore. Et c'est ainsi qu'en généralisant, la critique la plus amère porte du fruit sans nous blesser ; quand la satire personnelle, aussi stérile que funeste, blesse toujours et ne produit jamais. Je hais partout cette dernière, et je la crois un si punissable abus que j'ai plusieurs fois d'office invoqué la vigilance du magistrat pour empêcher que le théâtre ne devînt une arène de gladiateurs, où le puissant se crût en droit de faire exercer ses vengeances par les plumes vénales et malheureusement trop communes qui mettent leur bassesse à l'enchère.

N'ont-ils donc pas assez, ces grands, des mille et un feuillistes, faiseurs de bulletins, afficheurs[2], pour y trier les plus mauvais, en choisir un bien lâche et dénigrer qui les offusque ? On tolère un si léger mal parce qu'il est sans conséquence et que la vermine éphémère démange un instant et périt ; mais le théâtre est un géant qui blesse à mort tout ce qu'il frappe. On doit

---

1. *Humoriste* : un homme qui a de l'humeur, avec qui il est difficile de vivre.

2. *Feuillistes* est ici encore une création de Beaumarchais pour désigner les journalistes. Les *bulletins* étaient des billets par lesquels on rendait compte quotidiennement de l'état d'une affaire. *Afficheurs* désigne ici des hommes qui rédigent des placards et les placent en des endroits publics.

réserver ses grands coups pour les abus et pour les maux publics.

Ce n'est donc ni le vice ni les incidents qu'il amène qui font l'indécence théâtrale ; mais le défaut de leçons et de moralité. Si l'auteur, ou faible ou timide, n'ose en tirer de son sujet, voilà ce qui rend sa pièce équivoque ou vicieuse.

Lorsque je mis *Eugénie*[1] au théâtre (et il faut bien que je me cite, puisque c'est toujours moi qu'on attaque), lorsque je mis *Eugénie* au théâtre, tous nos jurés-crieurs à la décence[2] jetaient des flammes dans les foyers[3] sur ce que j'avais osé montrer un seigneur libertin habillant ses valets en prêtres et feignant d'épouser une jeune personne qui paraît enceinte au théâtre[4], sans avoir été mariée.

Malgré leurs cris, la pièce a été jugée, sinon le meilleur, au moins le plus moral des drames, constamment jouée sur tous les théâtres et traduite dans toutes les langues. Les bons esprits ont vu que la moralité, que l'intérêt y naissaient entièrement de l'abus qu'un homme puissant et vicieux fait de son nom, de son crédit, pour tourmenter une faible fille, sans appui, trompée, vertueuse et délaissée. Ainsi tout ce que l'ouvrage a d'utile et de bon naît du courage qu'eut l'auteur d'oser porter la disconvenance sociale au plus haut point de liberté.

Depuis, j'ai fait *Les Deux Amis*[5], pièce dans laquelle un père avoue à sa prétendue nièce qu'elle est sa fille illégitime ; ce drame est aussi très moral, parce qu'à travers les sacrifices de la plus parfaite amitié, l'auteur

1. *Eugénie* : le premier drame (1767).
2. Contamination plaisante de *jurés-crieurs* et de *jurer à la décence*. Les *jurés-crieurs* étaient des *officiers* qui publiaient des édits, au son des trompettes.
3. *Foyer* : « Lieu où les acteurs et actrices se rassemblent et se chauffent en hiver » *(Académie)*.
4. *Au théâtre* : sur la scène.
5. *Les Deux Amis* : deuxième drame (1770).

s'attache à y montrer les devoirs qu'impose la nature sur les fruits d'un ancien amour, que la rigoureuse dureté des convenances sociales, ou plutôt leur abus, laisse trop souvent sans appui.

Entre autres critiques de la pièce, j'entendis, dans une loge auprès de celle que j'occupais, un jeune *important* de la Cour qui disait gaiement à des dames : « L'auteur, sans doute, est un garçon fripier, qui ne voit rien de plus élevé que des commis des fermes et des marchands d'étoffes ; et c'est au fond d'un magasin qu'il va chercher les nobles amis qu'il traduit à la scène française ! — Hélas ! monsieur, lui dis-je en m'avançant, il a fallu du moins les prendre où il n'est pas impossible de les supposer. Vous ririez bien plus de l'auteur, s'il eût tiré deux vrais amis de l'Œil-de-bœuf[1] et des carrosses ? Il faut un peu de vraisemblance, même dans les actes vertueux. »

Me livrant à mon gai caractère, j'ai depuis tenté, dans *Le Barbier de Séville*, de ramener au théâtre l'ancienne et franche gaieté, en l'alliant avec le ton léger de notre plaisanterie actuelle ; mais comme cela même était une espèce de nouveauté, la pièce fut vivement poursuivie. Il semblait que j'eusse ébranlé l'État ; l'excès des précautions qu'on prit et des cris qu'on fit contre moi décelait surtout la frayeur que certains vicieux de ce temps avaient de s'y voir démasqués. La pièce fut censurée quatre fois, cartonnée trois fois sur l'affiche[2] à l'instant d'être jouée, dénoncée même au parlement d'alors[3] ; et moi, frappé de ce tumulte, je persistais à demander que le public restât le juge de ce que j'avais destiné à l'amusement du public.

Je l'obtins au bout de trois ans. Après les clameurs,

1. Un *œil-de-bœuf* est une fenêtre ronde ou ovale. Par métonymie, on appelait ainsi le salon de Versailles, éclairé par une pareille fenêtre, où les courtisans attendaient le roi.
2. L'affiche de la pièce interdite était recouverte d'un carton vierge ou qui annonçait la représentation d'une autre œuvre.
3. Le Parlement Maupeou mis en place en 1771.

les éloges ; et chacun me disait tout bas : « Faites-nous
donc des pièces de ce genre, puisqu'il n'y a plus que
vous qui osiez rire en face. »

Un auteur désolé par la cabale et les criards, mais qui
voit sa pièce marcher, reprend courage, et c'est ce que
j'ai fait. Feu M. le prince de Conti[1], de patriotique
mémoire (car en frappant l'air de son nom, l'on sent
vibrer le vieux mot *patrie*), feu M. le prince de Conti,
donc, me porta le défi public de mettre au théâtre ma
préface du *Barbier*, plus gaie, disait-il, que la pièce, et
d'y montrer la famille de Figaro, que j'indiquais dans
cette préface. « Monseigneur, lui répondis-je, si je mettais une seconde fois ce caractère sur la scène, comme
je le montrerais plus âgé, qu'il en saurait quelque peu
davantage, ce serait bien un autre bruit, et qui sait s'il
verrait le jour ! » Cependant, par respect, j'acceptai le
défi : je composai cette *Folle Journée*, qui cause aujour-
d'hui la rumeur. Il daigna la voir le premier. C'était
un homme d'un grand caractère, un prince auguste,
un esprit noble et fier : le dirai-je ? il en fut content.

Mais quel piège, hélas ! j'ai tendu au jugement de
nos critiques en appelant ma comédie du vain nom
de *Folle Journée* ! Mon objet était bien de lui ôter quelque
importance ; mais je ne savais pas encore à quel point
un changement d'annonce peut égarer tous les esprits.
En lui laissant son véritable titre, on eût lu *L'Époux suborneur*. C'était pour eux une autre piste ; on me courait
différemment. Mais ce nom de *Folle Journée* les a mis
à cent lieues de moi : ils n'ont plus rien vu dans l'ouvrage que ce qui n'y sera jamais ; et cette remarque un
peu sévère sur la facilité de prendre le change a plus
d'étendue qu'on ne croit. Au lieu du nom de *George
Dandin*, si Molière eût appelé son drame : *La Sottise des
alliances*, il eût porté bien plus de fruit ; si Regnard eût
nommé son *Légataire* : *La Punition du célibat*, la pièce

---

1. Le prince de Conti était mort en 1776. Il avait toujours protégé Beaumarchais.

nous eût fait frémir. Ce à quoi il ne songea pas, je l'ai fait avec réflexion. Mais qu'on ferait un beau chapitre sur tous les jugements des hommes et la morale du théâtre, et qu'on pourrait intituler : *De l'influence de l'affiche*!

Quoi qu'il en soit, *La Folle Journée* resta cinq ans au portefeuille[1] ; les Comédiens[2] ont su que je l'avais, ils me l'ont enfin arrachée. S'ils ont bien ou mal fait pour eux, c'est ce qu'on a pu voir depuis. Soit que la difficulté de la rendre excitât leur émulation, soit qu'ils sentissent, avec le public, que pour lui plaire en comédie, il fallait de nouveaux efforts, jamais pièce aussi difficile n'a été jouée avec autant d'ensemble ; et si l'auteur (comme on le dit) est resté au-dessous de lui-même, il n'y a pas un seul acteur dont cet ouvrage n'ait établi, augmenté ou confirmé la réputation. Mais revenons à sa lecture, à l'adoption des Comédiens.

Sur l'éloge outré qu'ils en firent, toutes les sociétés voulurent le connaître, et dès lors il fallut me faire des querelles de toute espèce ou céder aux instances universelles. Dès lors aussi les grands ennemis de l'auteur ne manquèrent pas de répandre à la Cour qu'il blessait dans cet ouvrage, d'ailleurs « un tissu de bêtises », la religion, le gouvernement, tous les états de la société, les bonnes mœurs, et qu'enfin la vertu y était opprimée et le vice triomphant, « comme de raison », ajoutait-on[3]. Si les graves messieurs qui l'ont tant répété me font l'honneur de lire cette préface, ils y verront au moins que j'ai cité bien juste ; et la bourgeoise intégrité que je mets à mes citations n'en fera que mieux ressortir la noble infidélité des leurs.

Ainsi dans *Le Barbier de Séville* je n'avais qu'ébranlé l'État ; dans ce nouvel essai, plus infâme et plus sédi-

---

1. *Au portefeuille* : dans les papiers de l'auteur. De 1776, si l'on en croit l'auteur, à 1781.

2. Les *Comédiens* : les acteurs de la Comédie-Française.

3. *Comme de raison* signifie : comme il convient, comme il fallait s'y attendre (de la part d'un homme comme Beaumarchais).

tieux, je le renversais de fond en comble. Il n'y avait
plus rien de sacré si l'on permettait cet ouvrage. On
abusait l'autorité par les plus insidieux rapports;
on cabalait auprès des corps puissants; on alarmait les
dames timorées; on me faisait des ennemis sur le prie-
Dieu des oratoires : et moi, selon les hommes et les
lieux, je repoussais la basse intrigue par mon excessive
patience, par la roideur de mon respect, l'obstination
de ma docilité, par la raison, quand on voulait l'entendre.

Ce combat a duré quatre ans. Ajoutez-les aux cinq du
portefeuille, que reste-t-il des allusions qu'on s'efforce
à voir dans l'ouvrage? Hélas! quand il fut composé,
tout ce qui fleurit aujourd'hui n'avait pas même encore
germé. C'était tout un autre univers.

Pendant ces quatre ans de débat je ne demandais
qu'un censeur; on m'en accorda cinq ou six. Que
virent-ils dans l'ouvrage, objet d'un tel déchaînement?
la plus badine des intrigues. Un grand seigneur espagnol, amoureux d'une jeune fille qu'il veut séduire, et
les efforts que cette fiancée, celui qu'elle doit épouser
et la femme du seigneur réunissent pour faire échouer
dans son dessein un maître absolu que son rang, sa
fortune et sa prodigalité rendent tout-puissant pour
l'accomplir. Voilà tout, rien de plus. La pièce est sous
vos yeux.

D'où naissaient donc ces cris perçants? De ce qu'au
lieu de poursuivre un seul caractère vicieux, comme le
Joueur, l'Ambitieux, l'Avare ou l'Hypocrite, ce qui ne
lui eût mis sur les bras qu'une seule classe d'ennemis,
l'auteur a profité d'une composition légère, ou plutôt a
formé son plan de façon à y faire entrer la critique
d'une foule d'abus qui désolent la société. Mais, comme
ce n'est pas là ce qui gâte un ouvrage aux yeux du censeur éclairé, tous, en l'approuvant, l'ont réclamé pour
le théâtre. Il a donc fallu l'y souffrir; alors les grands du
monde ont vu jouer avec scandale

Cette pièce où l'on peint un insolent valet
Disputant sans pudeur son épouse à son maître.

M. GUDIN[1].

Oh! que j'ai de regret[2] de n'avoir pas fait de ce sujet moral une tragédie bien sanguinaire! Mettant un poignard à la main de l'époux outragé, que je n'aurais pas nommé Figaro, dans sa jalouse fureur je lui aurais fait noblement poignarder le puissant vicieux; et comme il aurait vengé son honneur dans des vers carrés, bien ronflants, et que mon jaloux, tout au moins général d'armée, aurait eu pour rival quelque tyran bien horrible et régnant au plus mal sur un peuple désolé, tout cela, très loin de nos mœurs, n'aurait, je crois, blessé personne; on eût crié: « Bravo! ouvrage bien moral! » Nous étions sauvés, moi et mon Figaro sauvage.

Mais ne voulant qu'amuser nos Français et non faire ruisseler les larmes de leurs épouses, de mon coupable amant j'ai fait un jeune seigneur de ce temps-là, prodigue, assez galant, même un peu libertin, à peu près comme les autres seigneurs de ce temps-là. Mais qu'oserait-on dire au théâtre d'un seigneur, sans les offenser tous, sinon de lui reprocher son trop de galanterie? N'est-ce pas là le défaut le moins contesté par eux-mêmes? J'en vois beaucoup, d'ici, rougir modestement (et c'est un noble effort) en convenant que j'ai raison.

Voulant donc faire le mien coupable, j'ai eu le respect généreux de ne lui prêter aucun des vices du peuple. Direz-vous que je ne le pouvais pas, que c'eût été blesser toutes les vraisemblances? Concluez donc en faveur de ma pièce, puisque enfin je ne l'ai pas fait.

Le défaut même dont je l'accuse n'aurait produit aucun mouvement comique, si je ne lui avais gaiement

---

1. Gudin de La Brenellerie était le meilleur ami de Beaumarchais et fut plus tard son éditeur et son biographe.
2. Beaumarchais esquisse ici le sujet de *Tarare* (1787). Mais dans son opéra le tyran se suicide.

opposé l'homme le plus dégourdi de sa nation, le *véri-table* Figaro, qui, tout en défendant Suzanne, sa pro-priété, se moque des projets de son maître et s'indigne très plaisamment[1] qu'il ose jouter de ruse avec lui, maître passé dans ce genre d'escrime.

Ainsi, d'une lutte assez vive entre l'abus de la puis-sance, l'oubli des principes, la prodigalité, l'occasion, tout ce que la séduction a de plus entraînant, et le feu, l'esprit, les ressources que l'infériorité, piquée au jeu, peut opposer à cette attaque, il naît dans ma pièce un jeu plaisant d'intrigue, où l'*époux suborneur*, contrarié, lassé, harassé, toujours arrêté dans ses vues, est obligé, trois fois dans cette journée[2], de tomber aux pieds de sa femme, qui, bonne, indulgente et sensible, finit par lui pardonner : c'est ce qu'elles font toujours. Qu'a donc cette moralité de blâmable, messieurs ?

La trouvez-vous un peu badine pour le ton grave que je prends ? accueillez-en une plus sévère qui blesse vos yeux dans l'ouvrage, quoique vous ne l'y cherchiez pas : c'est qu'un seigneur assez vicieux pour vouloir prostituer à ses caprices tout ce qui lui est subordonné, pour se jouer dans ses domaines de la pudicité de toutes ses jeunes vassales, doit finir, comme celui-ci, par être la risée de ses valets. Et c'est ce que l'auteur a très fortement prononcé, lorsqu'en fureur, au cinquième acte, Almaviva, croyant confondre une femme infi-dèle, montre à son jardinier un cabinet, en lui criant : « Entres-y, toi, Antonio ; conduis devant son juge l'in-fâme qui m'a déshonoré » ; et que celui-ci lui répond : « Il y a, parguenne, une bonne Providence ! Vous en avez tant tant fait dans le pays qu'il faut bien aussi qu'à votre tour[3] !... »

Cette profonde moralité se fait sentir dans tout l'ou-

---

1. Voir acte I, sc. ii, et surtout le début du grand monologue, acte V, sc. iii.
2. Acte II, sc. xix ; acte IV, sc. v ; et la scène finale.
3. Acte V, sc. xiv.

vrage; et s'il convenait à l'auteur de démontrer aux adversaires qu'à travers sa forte leçon il a porté la considération pour la dignité du coupable plus loin qu'on ne devait l'attendre de la fermeté de son pinceau, je leur ferais remarquer que, croisé dans tous ses projets, le comte Almaviva se voit toujours humilié, sans être jamais avili.

En effet, si la comtesse usait de ruse pour aveugler sa jalousie dans le dessein de le trahir, devenue coupable elle-même, elle ne pourrait mettre à ses pieds son époux, sans le dégrader à nos yeux. La vicieuse intention de l'épouse brisant un lien respecté, l'on reprocherait justement à l'auteur d'avoir tracé des mœurs blâmables ; car nos jugements sur les mœurs se rapportent toujours aux femmes ; on n'estime pas assez les hommes pour tant exiger d'eux sur ce point délicat. Mais, loin qu'elle ait ce vil projet, ce qu'il y a de mieux établi dans l'ouvrage est que nul ne veut faire une tromperie au comte mais seulement l'empêcher d'en faire à tout le monde. C'est la pureté des motifs qui sauve ici les moyens du reproche ; et, de cela seul que la comtesse ne veut que ramener son mari, toutes les confusions qu'il éprouve sont certainement très morales, aucune n'est avilissante.

Pour que cette vérité vous frappe davantage, l'auteur oppose à ce mari peu délicat la plus vertueuse des femmes par goût et par principes.

Abandonnée d'un époux trop aimé, quand l'expose-t-on à vos regards ? Dans le moment critique où sa bienveillance pour un aimable enfant, son filleul, peut devenir un goût dangereux, si elle permet au ressentiment qui l'appuie de prendre trop d'empire sur elle. C'est pour faire mieux sortir l'amour vrai du devoir que l'auteur la met un moment aux prises avec un goût naissant qui le combat. Oh ! combien on s'est étayé de ce léger mouvement dramatique pour nous accuser d'indécence ! On accorde à la tragédie que toutes les reines, les princesses, aient des passions bien allumées

qu'elles combattent plus ou moins, et l'on ne souffre
pas que, dans la comédie, une femme ordinaire puisse
lutter contre la moindre faiblesse! Ô grande *influence
de l'affiche*! jugement sûr et conséquent! Avec la diffé-
rence du genre, on blâme ici ce qu'on approuvait là. Et
cependant en ces deux cas c'est toujours le même principe : point de vertu sans sacrifice.

　　J'ose en appeler à vous, jeunes infortunées que votre
malheur attache à des Almaviva! Distingueriez-vous
toujours votre vertu de vos chagrins, si quelque intérêt
importun, tendant trop à les dissiper, ne vous avertissait
enfin qu'il est temps de combattre pour elle ? Le chagrin
de perdre un mari n'est pas ici ce qui nous touche ; un
regret aussi personnel est trop loin d'être une vertu!
Ce qui nous plaît dans la comtesse, c'est de la voir lutter franchement contre un goût naissant qu'elle blâme
et des ressentiments légitimes. Les efforts qu'elle fait
alors pour ramener son infidèle époux, mettant dans le
plus heureux jour les deux sacrifices pénibles de son
goût et de sa colère, on n'a nul besoin d'y penser pour
applaudir à son triomphe ; elle est un modèle de vertu,
l'exemple de son sexe et l'amour du nôtre.

　　Si cette métaphysique[1] de l'honnêteté des scènes, si
ce principe avoué de toute décence théâtrale n'a point
frappé nos juges à la représentation, c'est vainement
que j'en étendrais ici le développement, les consé-
quences ; un tribunal d'iniquité n'écoute point les
défenses de l'accusé qu'il est chargé de perdre ; et ma
comtesse n'est point traduite au parlement de la nation,
c'est une commission qui la juge.

　　On a vu la légère esquisse de son aimable caractère
dans la charmante pièce d'*Heureusement*[2]. Le goût nais-

　　1. La métaphysique étant la science qui traite des premiers
principes de notre connaissance, le mot désigne ici l'analyse que
fait l'auteur dramatique des principes qui justifient la psychologie
de ses personnages.
　　2. *Heureusement* : comédie en un acte (1762) de Rochon de Cha-
bannes.

sant que la jeune femme éprouve pour son petit cousin l'officier n'y parut blâmable à personne, quoique la tournure des scènes pût laisser à penser que la soirée eût fini d'autre manière, si l'époux ne fût pas rentré, comme dit l'auteur, « heureusement ». Heureusement aussi l'on n'avait pas le projet de calomnier cet auteur : chacun se livra de bonne foi à ce doux intérêt qu'inspire une jeune femme honnête et sensible qui réprime ses premiers goûts ; et notez que dans cette pièce, l'époux ne paraît qu'un peu sot ; dans la mienne il est infidèle ; ma comtesse a plus de mérite.

Aussi, dans l'ouvrage que je défends, le plus véritable intérêt se porte-t-il sur la comtesse ; le reste est dans le même esprit.

Pourquoi Suzanne la camariste[1], spirituelle, adroite et rieuse, a-t-elle aussi le droit de nous intéresser ? C'est qu'attaquée par un séducteur puissant, avec plus d'avantage qu'il n'en faudrait pour vaincre une fille de son état, elle n'hésite pas à confier les intentions du comte aux deux personnes les plus intéressées à bien surveiller sa conduite : sa maîtresse et son fiancé[2] ; c'est que, dans tout son rôle, presque le plus long de la pièce, il n'y a pas une phrase, un mot, qui ne respire la sagesse et l'attachement à ses devoirs. La seule ruse qu'elle se permette est en faveur de sa maîtresse, à qui son dévouement est cher, et dont tous les vœux sont honnêtes.

Pourquoi, dans ses libertés sur son maître, Figaro m'amuse-t-il, au lieu de m'indigner ? C'est que, l'opposé des valets, il n'est pas, et vous le savez, le malhonnête homme de la pièce : en le voyant forcé par son état de repousser l'insulte avec adresse, on lui pardonne tout, dès qu'on sait qu'il ne ruse avec son sei-

---

1. Beaumarchais écrit bien *camariste* (espagnol *camarista*). Les éditions du Dictionnaire de l'Académie datées de 1762 et 1798 portent *camériste* (italien *camerista*), forme qui a prévalu. La camériste est la femme de chambre.

2. Voir acte I, sc. i et acte II, sc. i.

gneur que pour garantir ce qu'il aime et sauver sa pro-
priété.

Donc, hors le comte et ses agents, chacun fait dans la
pièce à peu près ce qu'il doit. Si vous les croyez malhonnêtes parce qu'ils disent du mal les uns des autres,
c'est une règle très fautive. Voyez nos honnêtes gens
du siècle : on passe la vie à ne faire autre chose ! Il est
même tellement reçu de déchirer sans pitié les absents
que moi, qui les défends toujours, j'entends murmurer
très souvent : « Quel diable d'homme, et qu'il est
contrariant ! Il dit du bien de tout le monde ! »

Est-ce mon page, enfin, qui vous scandalise ? et l'im-
moralité qu'on reproche au fond de l'ouvrage serait-
elle dans l'accessoire ? Ô censeurs délicats ! beaux esprits
sans fatigue ! inquisiteurs pour la morale, qui condam-
nez en un clin d'œil les réflexions de cinq années !
soyez justes une fois, sans tirer à conséquence[1]. Un
enfant de treize ans, aux premiers battements du cœur,
cherchant tout sans rien démêler, idolâtre, ainsi qu'on
l'est à cet âge heureux, d'un objet céleste pour lui dont
le hasard fit sa marraine, est-il un sujet de scandale ?
Aimé de tout le monde au château, vif, espiègle et brû-
lant, comme tous les enfants spirituels, par son agitation
extrême, il dérange dix fois, sans le vouloir, les coupables projets du comte. Jeune adepte de la nature[2],
tout ce qu'il voit a droit de l'agiter ; peut-être il n'est
plus un enfant, mais il n'est pas encore un homme, et
c'est le moment que j'ai choisi pour qu'il obtînt de l'intérêt sans forcer personne à rougir. Ce qu'il éprouve
innocemment, il l'inspire partout de même. Direz-vous
qu'on l'aime d'amour ? Censeurs ! ce n'est pas là le
mot : vous êtes trop éclairés pour ignorer que l'amour,
même le plus pur, a un motif intéressé : on ne l'aime

---

1. *Sans tirer à conséquence* : sans en tirer des conclusions défavo-
rables, pernicieuses.
2. *Adepte* est ici métaphorique : Chérubin obéit à ses instincts
naturels. Il est inutile de faire de lui un disciple de Rousseau !

donc pas encore ; on sent qu'un jour on l'aimera. Et
c'est ce que l'auteur a mis avec gaieté dans la bouche
de Suzanne, quand elle dit à cet enfant : « Oh ! dans
trois ou quatre ans, je prédis que vous serez le plus
grand petit vaurien[1] !... »

Pour lui imprimer plus fortement le caractère de
l'enfance, nous le faisons exprès tutoyer par Figaro.
Supposez-lui deux ans de plus, quel valet dans le château prendrait ces libertés ? Voyez-le à la fin de son
rôle ; à peine a-t-il un habit d'officier, qu'il porte la
main à l'épée aux premières railleries du comte, sur
le quiproquo d'un soufflet[2]. Il sera fier, notre étourdi !
mais c'est un enfant, rien de plus. N'ai-je pas vu nos
dames, dans les loges, aimer mon page à la folie ? Que
lui voulaient-elles ? hélas ! rien : c'était de l'intérêt
aussi ; mais, comme celui de la comtesse, un pur et naïf
intérêt, un intérêt... sans intérêt.

Mais est-ce la personne du page ou la conscience
du seigneur qui fait le tourment du dernier, toutes
les fois que l'auteur les condamne à se rencontrer
dans la pièce ? Fixez ce léger aperçu, il peut vous
mettre sur sa voie ; ou plutôt apprenez de lui que cet
enfant n'est amené que pour ajouter à la moralité
de l'ouvrage, en vous montrant que l'homme le plus
absolu chez lui, dès qu'il suit un projet coupable, peut
être mis au désespoir par l'être le moins important,
par celui qui redoute le plus de se rencontrer sur sa
route.

Quand mon page aura dix-huit ans, avec le caractère
vif et bouillant que je lui ai donné, je serai coupable, à
mon tour, si je le montre sur la scène. Mais à treize ans
qu'inspire-t-il ? quelque chose de sensible et doux qui
n'est ni amitié ni amour, et qui tient un peu de tous
deux.

J'aurais de la peine à faire croire à l'innocence de ces

1. Acte I, sc. VII.
2. Voir la scène finale.

impressions[1], si nous vivions dans un siècle moins
chaste, dans un de ces siècles de calcul où, voulant tout
prématuré, comme les fruits de leurs serres chaudes,
les grands mariaient leurs enfants à douze ans, et fai-
saient plier la nature, la décence et le goût aux plus sor-
dides convenances, en se hâtant surtout d'arracher, de
ces êtres non formés, des enfants encore moins for-
mables dont le bonheur n'occupait personne et qui
n'étaient que le prétexte d'un certain trafic d'avantages
qui n'avait nul rapport à eux, mais uniquement à leur
nom. Heureusement nous en sommes bien loin[2], et le
caractère de mon page, sans conséquence pour lui-
même, en a une relative au comte, que le moraliste
aperçoit, mais qui n'a pas encore frappé le grand commun de nos jugeurs.

Ainsi, dans cet ouvrage, chaque rôle important a
quelque but moral. Le seul qui semble y déroger est le
rôle de Marceline.

Coupable d'un ancien égarement, dont son Figaro
fut le fruit, elle devrait, dit-on, se voir au moins punie
par la confusion de sa faute, lorsqu'elle reconnaît
son fils. L'auteur eût pu même en tirer une moralité plus profonde : dans les mœurs qu'il veut corriger, la faute d'une jeune fille séduite est celle des
hommes, et non la sienne. Pourquoi donc ne l'a-t-il pas
fait ?

Il l'a fait, censeurs raisonnables ! étudiez la scène suivante, qui faisait le nerf du troisième acte et que les
Comédiens m'ont prié de retrancher, craignant qu'un
morceau si sévère n'obscurcît la gaieté de l'action.

Quand Molière a bien humilié la coquette ou coquine
du *Misanthrope,* par la lecture publique de ses lettres à
tous ses amants, il la laisse avilie sous les coups qu'il lui

1. Les impressions de Chérubin, agité par tout ce qu'il voit. Ce
qui suit étant ironique, Beaumarchais souligne finalement le
caractère trouble du personnage.
2. L'ironie est amère : les filles nobles étaient souvent mariées
très jeunes.

a portés[1]; il a raison : qu'en ferait-il ? vicieuse par goût et par choix, veuve aguerrie, femme de cour, sans aucune excuse d'erreur, et fléau d'un fort honnête homme, il l'abandonne à nos mépris, et telle est sa moralité. Quant à moi, saisissant l'aveu naïf de Marceline au moment de la reconnaissance, je montrais cette femme humiliée et Bartholo qui la refuse, et Figaro, leur fils commun, dirigeant l'attention publique sur les vrais fauteurs du désordre où l'on entraîne sans pitié toutes les jeunes filles du peuple douées d'une jolie figure.

Telle est la marche de la scène[2].

BRID'OISON, *parlant de Figaro qui vient de reconnaître sa mère en Marceline* : C'est clair : i-il ne l'épousera pas.

BARTHOLO : Ni moi non plus.

MARCELINE : Ni vous ! et votre fils ? Vous m'aviez juré...

BARTHOLO : J'étais fou. Si pareils souvenirs engageaient, on serait tenu d'épouser tout le monde.

BRID'OISON : E-et si l'on y regardait de si près, pè-personne n'épouserait personne.

BARTHOLO : Des fautes si connues ! une jeunesse déplorable !

MARCELINE, *s'échauffant par degrés* : Oui, déplorable, et plus qu'on ne croit ! Je n'entends pas nier mes fautes, ce jour les a trop bien prouvées ! mais qu'il est dur de les expier après trente ans d'une vie modeste ! J'étais née, moi, pour être sage, et je la suis devenue sitôt qu'on m'a permis d'user de ma raison. Mais dans l'âge des illusions, de l'inexpérience et des besoins, où les séducteurs nous assiègent, pendant que la misère nous poi-

1. Dans la scène finale.
2. Acte III, sc. XVI.

gnarde, que peut opposer une enfant à tant d'ennemis rassemblés ? Tel nous juge ici sévèrement,
qui, peut-être, en sa vie a perdu dix infortunées !

FIGARO : Les plus coupables sont les moins
généreux ; c'est la règle.

MARCELINE, *vivement* : Hommes plus qu'ingrats,
qui flétrissez par le mépris les jouets de vos passions, vos victimes ! c'est vous qu'il faut punir des
erreurs de notre jeunesse ; vous et vos magistrats, si
vains du droit de nous juger, et qui nous laissent
enlever, par leur coupable négligence, tout honnête moyen de subsister. Est-il un seul état pour les
malheureuses filles ? Elles avaient un droit naturel
à toute la parure des femmes : on y laisse former
mille ouvriers de l'autre sexe.

FIGARO, *en colère* : Ils font broder jusqu'aux soldats.

MARCELINE, *exaltée* : Dans les rangs même plus
élevés, les femmes n'obtiennent de vous qu'une
considération dérisoire ; leurrées de respects apparents, dans une servitude réelle ; traitées en mineures pour nos biens, punies en majeures pour
nos fautes ! ah, sous tous les aspects, votre conduite
avec nous fait horreur ou pitié !

FIGARO : Elle a raison !

LE COMTE, *à part* : Que trop raison !

BRID'OISON : Elle a, mon-on Dieu ! raison.

MARCELINE : Mais que nous font, mon fils, les
refus d'un homme injuste ? ne regarde pas d'où tu
viens, vois où tu vas ; cela seul importe à chacun.
Dans quelques mois, ta fiancée ne dépendra plus
que d'elle-même ; elle t'acceptera, j'en réponds : vis
entre une épouse, une mère tendres qui te chériront à qui mieux mieux. Sois indulgent pour elles,
heureux pour toi, mon fils ; gai, libre et bon pour
tout le monde : il ne manquera rien à ta mère.

FIGARO : Tu parles d'or, maman, et je me tiens à
ton avis. Qu'on est sot, en effet ! il y a des mille,

mille ans que le monde roule, et dans cet océan de durée où j'ai par hasard attrapé quelques chétifs trente ans qui ne reviendront plus, j'irais me tourmenter pour savoir à qui je les dois ! tant pis pour qui s'en inquiète ! Passer ainsi la vie à chamailler, c'est peser sur le collier sans relâche, comme les malheureux chevaux de la remonte des fleuves qui ne reposent pas, même quand ils s'arrêtent, et qui tirent toujours, quoiqu'ils cessent de marcher. Nous attendrons.

J'ai bien regretté ce morceau, et maintenant que la pièce est connue, si les Comédiens avaient le courage de le restituer à ma prière, je pense que le public leur en saurait beaucoup de gré. Ils n'auraient plus même à répondre, comme je fus forcé de le faire à certains censeurs du beau monde qui me reprochaient, à la lecture, de les intéresser pour une femme de mauvaises mœurs : « Non, messieurs, je n'en parle pas pour excuser ses mœurs, mais pour vous faire rougir des vôtres sur le point le plus destructeur de toute honnêteté publique : *la corruption des jeunes personnes*; et j'avais raison de le dire, que vous trouvez ma pièce trop gaie, parce qu'elle est souvent trop sévère. Il n'y a que façon de s'entendre.

— Mais votre Figaro est un soleil tournant[1], qui brûle, en jaillissant, les manchettes de tout le monde. — Tout le monde est exagéré. Qu'on me sache gré du moins s'il ne brûle pas aussi les doigts de ceux qui croient s'y reconnaître : au temps qui court, on a beau jeu sur cette matière au théâtre. M'est-il permis de composer en auteur qui sort du collège, de toujours faire rire des enfants sans jamais rien dire à des hommes ? et ne devez-vous pas me passer un peu de morale, en faveur de ma gaieté, comme on passe aux Français un peu de folie, en faveur de leur raison ? »

1. Le *soleil tournant* est une pièce de feu d'artifice.

Si je n'ai versé sur nos sottises qu'un peu de critique badine, ce n'est pas que je ne sache en former de plus sévères : quiconque a dit tout ce qu'il sait dans son ouvrage, y a mis plus que moi dans le mien. Mais je garde une foule d'idées qui me pressent pour un des sujets les plus moraux du théâtre, aujourd'hui sur mon chantier : *La Mère coupable*; et si le dégoût dont on m'abreuve me permet jamais de l'achever, mon projet étant d'y faire verser des larmes à toutes les femmes sensibles, j'élèverai mon langage à la hauteur de mes situations, j'y prodiguerai les traits de la plus austère morale, et je tonnerai fortement sur les vices que j'ai trop ménagés. Apprêtez-vous donc bien, messieurs, à me tourmenter de nouveau : ma poitrine a déjà grondé ; j'ai noirci beaucoup de papier au service de votre colère.

Et vous, honnêtes indifférents, qui jouissez de tout sans prendre parti sur rien, jeunes personnes modestes et timides qui vous plaisez à ma *Folle Journée* (et je n'entreprends sa défense que pour justifier votre goût), lorsque vous verrez dans le monde un de ces hommes tranchants critiquer vaguement la pièce, tout blâmer sans rien désigner, surtout la trouver indécente, examinez bien cet homme-là ; sachez son rang, son état, son caractère, et vous connaîtrez sur-le-champ le mot qui l'a blessé dans l'ouvrage.

On sent bien que je ne parle pas de ces écumeurs littéraires qui vendent leurs bulletins ou leurs affiches à tant de liards[1] le paragraphe. Ceux-là, comme l'abbé Bazile, peuvent calomnier : *ils médiraient qu'on ne les croirait pas*[2].

Je parle moins encore de ces libellistes honteux qui n'ont trouvé d'autre moyen de satisfaire leur rage, l'assassinat étant trop dangereux, que de lancer du cintre de nos salles des vers infâmes contre l'auteur, pendant

---

1. Le liard, qui valait trois deniers, était le quart du sou.
2. *Le Barbier de Séville*, acte II, sc. IX.

que l'on jouait sa pièce. Ils savent que je les connais ; si j'avais eu dessein de les nommer, ç'aurait été au ministère public : leur supplice est de l'avoir craint, il suffit à mon ressentiment. Mais on n'imaginera jamais jusqu'où ils ont osé élever les soupçons du public sur une aussi lâche épigramme ! semblables à ces vils charlatans du Pont-Neuf, qui, pour accréditer leurs drogues, farcissent d'ordres, de cordons[1], le tableau qui leur sert d'enseigne.

Non, je cite nos importants, qui, blessés, on ne sait pourquoi, des critiques semées dans l'ouvrage, se chargent d'en dire du mal, sans cesser de venir aux noces.

C'est un plaisir assez piquant de les voir d'en bas au spectacle, dans le très plaisant embarras de n'oser montrer ni satisfaction ni colère ; s'avançant sur le bord des loges, prêts à se moquer de l'auteur, et se retirant aussitôt pour celer un peu de grimace ; emportés par un mot de la scène, et soudainement rembrunis par le pinceau du moraliste ; au plus léger trait de gaieté, jouer tristement les étonnés, prendre un air gauche en faisant les pudiques et regardant les femmes dans les yeux, comme pour leur reprocher de soutenir un tel scandale ; puis, aux grands applaudissements, lancer sur le public un regard méprisant, dont il est écrasé ; toujours prêts à lui dire, comme ce courtisan dont parle Molière, lequel, outré du succès de *L'École des femmes*, criait des balcons au public : «Ris donc, public, ris donc[2] !» En vérité c'est un plaisir, et j'en ai joui bien des fois.

Celui-là m'en rappelle un autre. Le premier jour de *La Folle Journée*, on s'échauffait dans le foyer (même d'honnêtes plébéiens) sur ce qu'ils nommaient spirituellement « mon audace ». Un petit vieillard sec et

---

1. *Ordres* désigne ici les colliers, les rubans ou autres marques d'un ordre de chevalerie ; *cordons*, les rubans auxquels on attachait les décorations.
2. Voir *La Critique de l'École des femmes*, sc. v.

brusque, impatienté de tous ces cris, frappe le plancher de sa canne et dit en s'en allant : « Nos Français
sont comme les enfants, qui braillent quand on les
éberne[1]. » Il avait du sens, ce vieillard. Peut-être on
pouvait mieux parler, mais pour mieux penser, j'en
défie.

Avec cette intention de tout blâmer, on conçoit que
les traits les plus sensés ont été pris en mauvaise part.
N'ai-je pas entendu vingt fois un murmure descendre
des loges à cette réponse de Figaro :

> LE COMTE : Une réputation détestable !
> FIGARO : Et si je vaux mieux qu'elle ? y a-t-il beau-
> coup de seigneurs qui puissent en dire autant[2] ?

Je dis, moi, qu'il n'y en a point ; qu'il ne saurait y en
avoir, à moins d'une exception bien rare. Un homme
obscur ou peu connu peut valoir mieux que sa réputation, qui n'est que l'opinion d'autrui. Mais de même
qu'un sot en place en paraît une fois plus sot parce
qu'il ne peut plus rien cacher, de même un grand seigneur, l'homme élevé en dignités, que la fortune et
sa naissance ont placé sur le grand théâtre, et qui, en
entrant dans le monde, eut toutes les préventions pour
lui, vaut presque toujours moins que sa réputation s'il
parvient à la rendre mauvaise. Une assertion si simple
et si loin du sarcasme devait-elle exciter le murmure ? si
son application paraît fâcheuse aux grands peu soi-
gneux de leur gloire, en quel sens fait-elle épigramme
sur ceux qui méritent nos respects ? et quelle maxime
plus juste au théâtre peut servir de frein aux puissants
et tenir lieu de leçon à ceux qui n'en reçoivent point
d'autres ?

Non qu'il faille oublier (a dit un écrivain sévère, et je

---

1. *Éberner* ou *ébrener* : enlever le *bren.* Le mot s'employait en parlant des enfants au maillot qu'on nettoie.
2. Acte III, sc. v.

me plais à le citer, parce que je suis de son avis), « non qu'il faille oublier, dit-il, ce qu'on doit aux rangs élevés : il est juste au contraire que l'avantage de la naissance soit le moins contesté de tous, parce que ce bienfait gratuit de l'hérédité, relatif aux exploits, vertus ou qualités des aïeux de qui le reçut, ne peut aucunement blesser l'amour-propre de ceux auxquels il fut refusé ; parce que dans une monarchie, si l'on ôtait les rangs intermédiaires, il y aurait trop loin du monarque aux sujets ; bientôt on n'y verrait qu'un despote et des esclaves ; le maintien d'une échelle graduée du laboureur au potentat intéresse également les hommes de tous les rangs, et peut-être est le plus ferme appui de la constitution monarchique ».

Mais quel auteur parlait ainsi ? qui faisait cette profession de foi sur la noblesse, dont on me suppose si loin ? C'était Pierre-Augustin Caron de Beaumarchais, plaidant par écrit au parlement d'Aix, en 1778, une grande et sévère question qui décida bientôt de l'honneur d'un noble et du sien[1]. Dans l'ouvrage que je défends, on n'attaque point les états, mais les abus de chaque état ; les gens seuls qui s'en rendent coupables ont intérêt à le trouver mauvais ; voilà les rumeurs expliquées ; mais quoi donc, les abus sont-ils devenus si sacrés qu'on n'en puisse attaquer aucun sans lui trouver vingt défenseurs ?

Un avocat célèbre, un magistrat respectable iront-ils donc s'approprier le plaidoyer d'un Bartholo, le jugement d'un Brid'oison[2] ? Ce mot de Figaro sur l'indigne abus des plaidoiries de nos jours (« c'est dégrader le plus noble institut ») a bien montré le cas que je fais du noble métier d'avocat, et mon respect pour la magistrature ne sera pas plus suspecté, quand on saura dans

---

1. Dans sa *Réponse ingénue* au comte de La Blache contre lequel il plaidait en appel (*Œuvres complètes*, éd. Fournier, p. 374).
2. Bartholo plaide à l'acte III, sc. xv. Mais Brid'oison en réalité ne juge pas. C'est le comte qui rend l'arrêt.

quelle école j'en ai recherché la leçon, quand on lira
le morceau suivant, aussi tiré d'un moraliste, lequel,
parlant des magistrats, s'exprime en ces termes for-
mels :

« Quel homme aisé voudrait, pour le plus modique
honoraire, faire le métier cruel de se lever à quatre
heures pour aller au Palais tous les jours s'occuper,
sous des formes prescrites, d'intérêts qui ne sont jamais
les siens ; d'éprouver sans cesse l'ennui de l'importu-
nité, le dégoût des sollicitations, le bavardage des plaideurs, la monotonie des audiences, la fatigue des
délibérations et la contention d'esprit nécessaire aux
prononcés des arrêts, s'il ne se croyait pas payé de cette
vie laborieuse et pénible par l'estime et la considération publique ? et cette estime est-elle autre chose
qu'un jugement qui n'est même aussi flatteur pour les
bons magistrats qu'en raison de sa rigueur excessive
contre les mauvais ? »

Mais quel écrivain m'instruisait ainsi par ses leçons ?
Vous allez croire encore que c'est Pierre-Augustin ?
Vous l'avez dit : c'est lui, en 1773, dans son quatrième
Mémoire[1], en défendant jusqu'à la mort sa triste exis-
tence attaquée par un soi-disant magistrat. Je respecte
donc hautement ce que chacun doit honorer, et je
blâme ce qui peut nuire.

« Mais dans cette *Folle Journée*, au lieu de saper les
abus, vous vous donnez des libertés très répréhen-
sibles au théâtre ; votre monologue surtout contient,
sur les gens disgraciés, des traits qui passent la licence !
— Eh ! croyez-vous, messieurs, que j'eusse un talisman
pour tromper, séduire, enchaîner la censure et l'autorité, quand je leur soumis mon ouvrage ? que je n'aie
pas dû justifier ce que j'avais osé écrire ? » Que fais-je
dire à Figaro, parlant à l'homme déplacé ? « Que les
sottises imprimées n'ont d'importance qu'aux lieux où

---

1. Ce mémoire contre Goezman (*Œuvres complètes*, éd. Fournier, p. 307) a été écrit plus précisément en février 1774.

l'on en gêne le cours[1]. » Est-ce donc là une vérité d'une conséquence dangereuse ? Au lieu de ces inquisitions puériles et fatigantes, et qui seules donnent de l'importance à ce qui n'en aurait jamais, si, comme en Angleterre, on était assez sage ici pour traiter les sottises avec ce mépris qui les tue, loin de sortir du vil fumier qui les enfante, elles y pourriraient en germant, et ne se propageraient point. Ce qui multiplie les libelles est la faiblesse de les craindre ; ce qui fait vendre les sottises est la sottise de les défendre.

Et comment conclut Figaro ? « Que sans la liberté de blâmer, il n'est point d'éloge flatteur ; et qu'il n'y a que les petits hommes qui redoutent les petits écrits. » Sont-ce là des hardiesses coupables, ou bien des aiguillons de gloire ? des moralités insidieuses ou des maximes réfléchies, aussi justes qu'encourageantes ?

Supposez-les le fruit des souvenirs. Lorsque, satisfait du présent, l'auteur veille pour l'avenir, dans la critique du passé, qui peut avoir droit de s'en plaindre ? et si, ne désignant ni temps, ni lieu, ni personnes, il ouvre la voie, au théâtre, à des réformes désirables, n'est-ce pas aller à son but ?

La Folle Journée explique donc comment, dans un temps prospère, sous un roi juste et des ministres modérés, l'écrivain peut tonner sur les oppresseurs sans craindre de blesser personne. C'est pendant le règne d'un bon prince qu'on écrit sans danger l'histoire des méchants rois ; et, plus le gouvernement est sage, est éclairé, moins la liberté de dire est en presse[2] ; chacun y faisant son devoir, on n'y craint pas les allusions ; nul homme en place ne redoutant ce qu'il est forcé d'estimer, on n'affecte point alors d'opprimer chez nous cette même littérature, qui fait notre gloire au-dehors et nous y donne une sorte de primauté que nous ne pouvons tirer d'ailleurs.

---

1. Acte V, sc. iii ; de même, la citation du paragraphe suivant.
2. *En presse* : dans un état fâcheux dont on ne sait comment sortir.

En effet, à quel titre y prétendrions-nous ? Chaque peuple tient à son culte et chérit son gouvernement. Nous ne sommes pas restés plus braves que ceux qui nous ont battus à leur tour. Nos mœurs plus douces, mais non meilleures, n'ont rien qui nous élève au-dessus d'eux. Notre littérature seule, estimée de toutes les nations, étend l'empire de la langue française et nous obtient de l'Europe entière une prédilection avouée[1] qui justifie, en l'honorant, la protection que le gouvernement lui accorde.

Et comme chacun cherche toujours le seul avantage qui lui manque, c'est alors qu'on peut voir dans nos académies l'homme de la cour siéger avec les gens de lettres, les talents personnels et la considération héritée se disputer ce noble objet, et les archives académiques se remplir presque également de papiers et de parchemins.

Revenons à *La Folle Journée*.

Un monsieur de beaucoup d'esprit, mais qui l'économise un peu trop, me disait un soir au spectacle : « Expliquez-moi donc, je vous prie, pourquoi, dans votre pièce, on trouve autant de phrases négligées qui ne sont pas de votre style ? — De mon style, monsieur ? Si par malheur j'en avais un, je m'efforcerais de l'oublier quand je fais une comédie, ne connaissant rien d'insipide au théâtre comme ces fades camaïeux où tout est bleu, où tout est rose, où tout est l'auteur, quel qu'il soit. »

Lorsque mon sujet me saisit, j'évoque tous mes personnages et les mets en situation : « Songe à toi, Figaro, ton maître va te deviner. Sauvez-vous vite, Chérubin, c'est le comte que vous touchez. Ah ! comtesse, quelle imprudence, avec un époux si violent ! » Ce qu'ils diront, je n'en sais rien ; c'est ce qu'ils feront qui m'occupe. Puis, quand ils sont bien animés, j'écris sous leur dictée

---

1. L'Académie de Berlin venait de couronner, le 3 juin 1784, le discours *De l'universalité de la langue française* de Rivarol.

rapide, sûr qu'ils ne me tromperont pas, que je reconnaîtrai Bazile, lequel n'a pas l'esprit de Figaro, qui n'a pas le ton noble du comte, qui n'a pas la sensibilité de la comtesse, qui n'a pas la gaieté de Suzanne, qui n'a pas l'espièglerie du page, et surtout aucun d'eux la sublimité de Brid'oison. Chacun y parle son langage : eh ! que le dieu du naturel les préserve d'en parler d'autre ! Ne nous attachons donc qu'à l'examen de leurs idées, et non à rechercher si j'ai dû leur prêter mon style.

Quelques malveillants ont voulu jeter de la défaveur sur cette phrase de Figaro : « Sommes-nous des soldats qui tuent et se font tuer pour des intérêts qu'ils ignorent ? Je veux savoir, moi, pourquoi je me fâche[1]. » À travers le nuage d'une conception indigeste[2] ils ont feint d'apercevoir *que je répands une lumière décourageante sur l'état pénible du soldat, et il y a des choses qu'il ne faut jamais dire.* Voilà dans toute sa force l'argument de la méchanceté ; reste à en prouver la bêtise.

Si, comparant la dureté du service à la modicité de la paye, ou discutant tel autre inconvénient de la guerre et comptant la gloire pour rien, je versais de la défaveur sur ce plus noble des affreux métiers, on me demanderait justement compte d'un mot indiscrètement échappé. Mais, du soldat au colonel, au général exclusivement, quel imbécile homme de guerre a jamais eu la prétention qu'il dût pénétrer les secrets du cabinet pour lesquels il fait la campagne ? C'est de cela seul qu'il s'agit dans la phrase de Figaro. Que ce fou-là se montre, s'il existe ; nous l'enverrons étudier sous le philosophe Babouc, lequel éclaircit disertement ce point de discipline militaire[3].

---

1. Acte V, sc. xii.
2. *Nuage* a ici, semble-t-il, le sens de *soupçon*. Il s'agit, à l'égard de Beaumarchais, d'un soupçon qui n'a pas été clairement expliqué, *mis dans son jour.*
3. Allusion au conte de Voltaire *Le Monde comme il va*, au début duquel ni le soldat ni le capitaine ne savent pourquoi l'on se bat (*Zadig et autres contes*, *Romans et contes I*, éd. Folio, p. 64).

En raisonnant sur l'usage que l'homme fait de sa liberté dans les occasions difficiles, Figaro pouvait également opposer à sa situation tout état qui exige une obéissance implicite ; et le cénobite zélé, dont le devoir est de tout croire sans jamais rien examiner, comme le guerrier valeureux, dont la gloire est de tout affronter sur des ordres non motivés, de *tuer et se faire tuer pour des intérêts qu'il ignore*. Le mot de Figaro ne dit donc rien, sinon qu'un homme libre de ses actions doit agir sur d'autres principes que ceux dont le devoir est d'obéir aveuglément.

Qu'aurait-ce été, bon Dieu ! si j'avais fait usage d'un mot qu'on attribue au Grand Condé, et que j'entends louer à outrance par ces mêmes logiciens qui déraisonnent sur ma phrase ? À les croire, le Grand Condé montra la plus noble présence d'esprit, lorsque arrêtant Louis XIV prêt à pousser son cheval dans le Rhin, il dit à ce monarque : « Sire, avez-vous besoin du bâton de maréchal ? »

Heureusement on ne prouve nulle part que ce grand homme ait dit cette grande sottise. C'eût été dire au roi, devant toute son armée : « Vous moquez-vous donc, Sire, de vous exposer dans un fleuve ? Pour courir de pareils dangers, il faut avoir besoin d'avancement ou de fortune ! »

Ainsi l'homme le plus vaillant, le plus grand général du siècle, aurait compté pour rien l'honneur, le patriotisme et la gloire ! un misérable calcul d'intérêt eût été, selon lui, le seul principe de la bravoure ! il eût dit là un affreux mot ! et si j'en avais pris le sens pour l'enfermer dans quelque trait, je mériterais le reproche qu'on fait gratuitement au mien.

Laissons donc les cerveaux fumeux louer ou blâmer, au hasard, sans se rendre compte de rien, s'extasier sur une sottise qui n'a pu jamais être dite, et proscrire un mot juste et simple qui ne montre que du bon sens.

Un autre reproche assez fort, mais dont je n'ai pu me laver, est d'avoir assigné pour retraite à la comtesse un certain couvent d'Ursulines[1]. « Ursulines ! » a dit un seigneur, joignant les mains avec éclat ; « Ursulines ! » a dit une dame en se renversant de surprise sur un jeune Anglais de sa loge ; « "Ursulines !" ah Milord ! si vous entendiez le français !... — Je sens, je sens beaucoup, madame, dit le jeune homme en rougissant. — C'est qu'on n'a jamais mis au théâtre aucune femme aux "Ursulines" ! Abbé, parlez-nous donc ! L'abbé (toujours appuyée sur l'Anglais), comment trouvez-vous "Ursulines" ? — Fort indécent », répond l'abbé sans cesser de lorgner Suzanne. Et tout le beau monde a répété : « "Ursulines" est fort indécent. » Pauvre auteur ! on te croit jugé, quand chacun songe à son affaire. En vain j'essayais d'établir que dans l'événement de la scène, moins la comtesse a dessein de se cloîtrer, plus elle doit le feindre et faire croire à son époux que sa retraite est bien choisie ; ils ont proscrit mes « Ursulines » !

Dans le plus fort de la rumeur, moi, bon homme, j'avais été jusqu'à prier une des actrices qui font le charme de ma pièce de demander aux mécontents à quel autre couvent de filles ils estimaient qu'il fût *décent* que l'on fît entrer la comtesse ? À moi, cela m'était égal, je l'aurais mise où l'on aurait voulu : aux Augustines, aux Célestines, aux Clairettes, aux Visitandines, même aux Petites Cordelières[2], tant je tiens peu aux Ursulines ! Mais on agit si durement !

Enfin, le bruit croissant toujours, pour arranger l'affaire avec douceur, j'ai laissé le mot « Ursulines » à la place où je l'avais mis : chacun alors, content de soi, de

---

1. Acte II, sc. XIX. Cet ordre s'était beaucoup développé en France au cours du XVIIIᵉ siècle.
2. Les *Augustines* suivent la règle de saint Augustin et se consacrent aux malades ; les *Célestines* suivent la règle de saint Bernard ; les *Clairettes* sont sous la direction de l'abbé de la Trappe ; les *Visitandines* sont de l'ordre de la Visitation de la Vierge, ordre institué par saint François de Sales ; les *Cordelières* sont des religieuses de l'ordre de saint François d'Assise, dont elles portent le cordon.

tout l'esprit qu'il avait montré, s'est apaisé sur « Ursulines », et l'on a parlé d'autre chose.

Je ne suis point, comme l'on voit, l'ennemi de mes
ennemis. En disant bien du mal de moi ils n'en ont
point fait à ma pièce, et s'ils sentaient seulement autant
de joie à la déchirer que j'eus de plaisir à la faire, il n'y
aurait personne d'affligé. Le malheur est qu'ils ne rient
point ; et ils ne rient point à ma pièce parce qu'on ne
rit point à la leur. Je connais plusieurs amateurs qui
sont même beaucoup maigris depuis le succès du
Mariage : excusons donc l'effet de leur colère.

À des moralités d'ensemble et de détail, répandues
dans les flots d'une inaltérable gaieté, à un dialogue
assez vif dont la facilité nous cache le travail, si l'auteur
a joint une intrigue aisément filée, où l'art se dérobe
sous l'art, qui se noue et se dénoue sans cesse à travers
une foule de situations comiques, de tableaux piquants
et variés qui soutiennent, sans la fatiguer, l'attention du
public pendant les trois heures et demie que dure le
même spectacle (essai que nul homme de lettres
n'avait encore osé tenter !), que restait-il à faire à de
pauvres méchants que tout cela irrite ? attaquer, poursuivre l'auteur par des injures verbales, manuscrites,
imprimées : c'est ce qu'on a fait sans relâche. Ils ont
même épuisé jusqu'à la calomnie pour tâcher de me
perdre dans l'esprit de tout ce qui influe en France sur
le repos d'un citoyen. Heureusement que mon ouvrage
est sous les yeux de la nation, qui depuis dix grands
mois[1] le voit, le juge et l'apprécie. Le laisser jouer tant
qu'il fera plaisir est la seule vengeance que je me sois
permise. Je n'écris point ceci pour les lecteurs actuels ;
le récit d'un mal trop connu touche peu ; mais dans
quatre-vingts ans il portera son fruit. Les auteurs de ce
temps-là compareront leur sort au nôtre, et nos enfants
sauront à quel prix on pouvait amuser leurs pères.

---

1. La première représentation est du 27 avril 1784 et l'achevé
d'imprimer du 28 février 1785.

Allons au fait; ce n'est pas tout cela qui blesse. Le vrai motif qui se cache et qui dans les replis du cœur produit tous les autres reproches, est renfermé dans ce quatrain :

> Pourquoi ce Figaro qu'on va tant écouter
> Est-il avec fureur déchiré par les sots?
> *Recevoir, prendre et demander :*
> *Voilà le secret en trois mots.*

En effet, Figaro, parlant du métier de courtisan, le définit dans ces termes sévères[1]. Je ne puis le nier, je l'ai dit. Mais reviendrai-je sur ce point? Si c'est un mal, le remède serait pire : il faudrait poser méthodiquement ce que je n'ai fait qu'indiquer, revenir à montrer qu'il n'y a point de synonyme en français entre *l'homme de la cour, l'homme de cour,* et *le courtisan par métier.*

Il faudrait répéter qu'*homme de la cour* peint seulement un noble état; qu'il s'entend de l'homme de qualité vivant avec la noblesse et l'éclat que son rang lui impose; que, si cet *homme de la cour* aime le bien par goût, sans intérêt, si, loin de jamais nuire à personne, il se fait estimer de ses maîtres, aimer de ses égaux et respecter des autres, alors cette acception reçoit un nouveau lustre, et j'en connais plus d'un que je nommerais avec plaisir s'il en était question.

Il faudrait montrer qu'*homme de cour,* en bon français, est moins l'énoncé d'un état que le résumé d'un caractère adroit, liant, mais réservé, pressant la main de tout le monde en glissant chemin à travers, menant finement son intrigue avec l'air de toujours servir, ne se faisant point d'ennemis, mais donnant, près d'un fossé, dans l'occasion, de l'épaule au meilleur ami pour assurer sa chute et le remplacer sur la crête, laissant à part

---

1. Les deux derniers vers sont repris d'une réplique de Figaro (acte II, sc. ɪɪ).

tout préjugé qui pourrait ralentir sa marche, souriant à
ce qui lui déplaît et critiquant ce qu'il approuve, selon
les hommes qui l'écoutent ; dans les liaisons utiles de sa
femme ou de sa maîtresse, ne voyant que ce qu'il doit
voir, enfin...

> *Prenant tout, pour le faire court,*
> *En véritable* homme de cour[1].

LA FONTAINE.

Cette acception n'est pas aussi défavorable que celle
du *courtisan par métier*, et c'est l'homme dont parle
Figaro.

Mais, quand j'étendrais la définition de ce dernier,
quand, parcourant tous les possibles, je le montrerais
avec son maintien équivoque, haut et bas à la fois, rampant avec orgueil, ayant toutes les prétentions sans en
justifier une, se donnant l'air du *protègement*[2] pour se
faire chef de parti, dénigrant tous les concurrents qui
balanceraient son crédit, faisant un métier lucratif de
ce qui ne devrait qu'honorer, vendant ses maîtresses à
son maître, lui faisant payer ses plaisirs, etc., etc., et
quatre pages d'etc., il faudrait toujours revenir au distique[3] de Figaro : « Recevoir, prendre et demander :
voilà le secret en trois mots. »

Pour ceux-ci, je n'en connais point ; il y en eut, dit-
on, sous Henri III, sous d'autres rois encore, mais c'est
l'affaire de l'historien ; et, quant à moi, je suis d'avis
que les vicieux du siècle en sont comme les saints : qu'il

---

1. *Joconde ; Contes et nouvelles en vers*, éd. Folio, p. 39.
2. *Protègement* : Beaumarchais préfère ce mot qu'il crée à *protection* jugé sans doute trop vague. Le mot a ici une valeur politique :
le courtisan veut protéger ses partisans comme le suzerain protégeait ses vassaux. Le premier emploi se trouve dans la *Réponse ingénue* (éd. Fournier, p. 405).
3. Le mot *distique* ne se disait que d'un poème. Son emploi ici
pour désigner ces deux octosyllabes montre combien délibéré-
ment la prose de Beaumarchais est rythmée.

faut cent ans pour les canoniser. Mais, puisque j'ai promis la critique de ma pièce, il faut enfin que je la donne.

En général son grand défaut est *que je ne l'ai point faite en observant le monde ; qu'elle ne peint rien de ce qui existe et ne rappelle jamais l'image de la société où l'on vit ; que ses mœurs basses et corrompues n'ont pas même le mérite d'être vraies.* Et c'est ce qu'on lisait dernièrement dans un beau discours imprimé, composé par un homme de bien, auquel il n'a manqué qu'un peu d'esprit pour être un écrivain médiocre[1]. Mais, médiocre ou non, moi qui ne fis jamais usage de cette allure oblique et torse avec laquelle un sbire qui n'a pas l'air de vous regarder vous donne du stylet au flanc, je suis de l'avis de celui-ci. Je conviens qu'à la vérité, la génération passée ressemblait beaucoup à ma pièce, que la génération future lui ressemblera beaucoup aussi ; mais que, pour la génération présente, elle ne lui ressemble aucunement ; que je n'ai jamais rencontré ni mari suborneur, ni seigneur libertin, ni courtisan avide, ni juge ignorant ou passionné, ni avocat injuriant, ni gens médiocres avancés[2], ni traducteur bassement jaloux ; et que, si des âmes pures, qui ne s'y reconnaissent point du tout, s'irritent contre ma pièce et la déchirent sans relâche, c'est uniquement par respect pour leurs grands-pères et sensibilité pour leurs petits-enfants. J'espère, après cette déclaration, qu'on me laissera bien tranquille ; ET J'AI FINI.

1. Il s'agit de l'un des censeurs de la pièce, Jean-Baptiste Suard (1734-1817), qui, comme en témoigne la citation, avait été très sévère pour Beaumarchais dans son discours à l'Académie française, le 15 juin 1784.
2. *Avancés* : mis en avant à des places que leur médiocrité devait leur interdire d'occuper.

Caractères et habillements
de la pièce

LE COMTE ALMAVIVA doit être joué très noblement, mais avec grâce et liberté. La corruption du cœur ne doit rien ôter au *bon ton* de ses manières. Dans les mœurs *de ce temps-là*, les grands traitaient en badinant toute entreprise sur les femmes. Ce rôle est d'autant plus pénible à bien rendre que le personnage est toujours sacrifié. Mais, joué par un comédien excellent (M. Molé), il a fait ressortir tous les rôles et assuré le succès de la pièce.

Son vêtement du premier et second acte est un habit de chasse, avec des bottines à mi-jambe de l'ancien costume espagnol. Du troisième acte jusqu'à la fin, un habit superbe de ce costume.

LA COMTESSE, agitée de deux sentiments contraires, ne doit montrer qu'une sensibilité réprimée, ou une colère très modérée ; rien surtout qui dégrade aux yeux du spectateur son caractère aimable et vertueux. Ce rôle, un des plus difficiles de la pièce, a fait infiniment d'honneur au grand talent de Mlle Saint-Val cadette.

Son vêtement du premier, second et quatrième acte est une lévite[1] commode, et nul ornement sur la tête : elle est chez elle et censée incommodée. Au cinquième acte, elle a l'habillement et la haute coiffure de Suzanne.

1. *Lévite* : longue robe d'intérieur.

FIGARO. L'on ne peut trop recommander à l'acteur qui jouera ce rôle de bien se pénétrer de son esprit, comme l'a fait M. Dazincourt. S'il y voyait autre chose que de la raison assaisonnée de gaieté et de saillies, sur- tout s'il y mettait la moindre charge, il avilirait un rôle que le premier comique du théâtre, M. Préville[1], a jugé devoir honorer le talent de tout comédien qui saurait en saisir les nuances multipliées et pourrait s'élever à son entière conception.

Son vêtement comme dans *Le Barbier de Séville*.

SUZANNE. Jeune personne adroite, spirituelle et rieuse, mais non de cette gaieté presque effrontée de nos soubrettes corruptrices; son joli caractère est des- siné dans la préface, et c'est là que l'actrice qui n'a point vu Mlle Contat doit l'étudier pour le bien rendre.

Son vêtement des quatre premiers actes est un juste blanc à basquines[2], très élégant, la jupe de même, avec une toque appelée depuis par nos marchandes : « à la Suzanne ». Dans la fête du quatrième acte[3], le comte lui pose sur la tête une toque à long voile, à hautes plumes et à rubans blancs. Elle porte au cinquième acte la lévite de sa maîtresse, et nul ornement sur la tête.

MARCELINE est une femme d'esprit, née un peu vive, mais dont les fautes et l'expérience ont réformé le caractère. Si l'actrice qui le joue s'élève avec une fierté bien placée à la hauteur très morale qui suit la recon- naissance du troisième acte[4], elle ajoutera beaucoup à l'intérêt de l'ouvrage.

---

1. Préville, grand ami de l'auteur, avait créé le rôle de Figaro dans le *Barbier* en 1775 à la Comédie-Française ; trop vieux en 1784 pour jouer le même personnage (il avait soixante-trois ans), il se contenta du rôle de Brid'oison.
2. *Juste* : corsage très étroit, ici à petites basques. *Basquine* est un mot ancien qui désigne une robe tenue fort ample à l'aide d'un cercle.
3. Sc. IX.
4. Sc. XVI.

Son vêtement est celui des duègnes espagnoles, d'une couleur modeste, un bonnet noir sur la tête.

ANTONIO ne doit montrer qu'une demi-ivresse qui se dissipe par degrés, de sorte qu'au cinquième acte on n'en aperçoive presque plus.

Son vêtement est celui d'un paysan espagnol, où les manches pendent par-derrière ; un chapeau et des souliers blancs.

FANCHETTE est une enfant de douze ans, très naïve. Son petit habit est un juste brun avec des ganses et des boutons d'argent, la jupe de couleur tranchante, et une toque noire à plumes sur la tête. Il sera celui des autres paysannes de la noce.

CHÉRUBIN. Ce rôle ne peut être joué, comme il l'a été, que par une jeune et très jolie femme ; nous n'avons point à nos théâtres de très jeune homme assez formé pour en bien sentir les finesses. Timide à l'excès devant la comtesse, ailleurs un charmant polisson, un désir inquiet et vague est le fond de son caractère. Il s'élance à la puberté mais sans projet, sans connaissances, et tout entier à chaque événement ; enfin il est ce que toute mère, au fond du cœur, voudrait peut-être que fût son fils, quoiqu'elle dût beaucoup en souffrir.

Son riche vêtement, aux premier et second actes, est celui d'un page de cour espagnol, blanc et brodé d'argent ; le léger manteau bleu sur l'épaule, et un chapeau chargé de plumes. Au quatrième acte, il a le corset, la jupe et la toque des jeunes paysannes qui l'amènent. Au cinquième acte, un habit uniforme d'officier, une cocarde et une épée.

BARTHOLO. Le caractère et l'habit comme dans *Le Barbier de Séville* ; il n'est ici qu'un rôle secondaire.

BAZILE. Caractère et vêtement comme dans *Le Barbier de Séville* ; il n'est aussi qu'un rôle secondaire.

BRID'OISON doit avoir cette bonne et franche assurance des bêtes qui n'ont plus leur timidité. Son bégaiement n'est qu'une grâce de plus qui doit être à peine sentie, et l'acteur se tromperait lourdement et jouerait à contresens s'il y cherchait le plaisant de son rôle. Il est tout entier dans l'opposition de la gravité de son état au ridicule du caractère ; et moins l'acteur le chargera, plus il montrera de vrai talent.

Son habit est une robe de juge espagnol, moins ample que celle de nos procureurs, presque une soutane ; une grosse perruque, une gonille[1] ou rabat espagnol au col, et une longue baguette blanche à la main.

DOUBLE-MAIN. Vêtu comme le juge, mais la baguette blanche plus courte.

L'HUISSIER OU ALGUAZIL. Habit, manteau, épée de Crispin[2], mais portée à son côté sans ceinture de cuir. Point de bottines, une chaussure noire, une perruque blanche naissante[3] et longue à mille boucles, une courte baguette blanche.

GRIPPE-SOLEIL. Habit de paysan, les manches pendantes ; veste de couleur tranchée, chapeau blanc.

UNE JEUNE BERGÈRE. Son vêtement comme celui de Fanchette.

PÉDRILLE. En veste, gilet, ceinture, fouet et bottes de poste, une réçille[4] sur la tête, chapeau de courrier.

PERSONNAGES MUETS, les uns en habits de juges, d'autres en habits de paysans, les autres en habits de livrée.

---

1. *Gonille* : Beaumarchais francise inexactement et traduit le terme espagnol *golilla*. Golile : «Espèce de collet qu'on porte en Espagne» (*Académie*, 1762). La baguette blanche est l'insigne de la fonction des gens de justice.
2. Crispin, valet de la Comédie-Italienne, portait une grande rapière maintenue par un baudrier.
3. «On appelle *cheveux naissants* des cheveux frisés en long ; et *perruque naissante*, une perruque qui imite les cheveux naissants» (*Académie*, 1798).
4. *Réçille* : Beaumarchais francise l'espagnol *redecilla*. Le mot est resté sous la forme *résille*, refaite sur *réseau*.

LE COMTE ALMAVIVA, grand corrégidor [1] d'Andalousie
LA COMTESSE, sa femme
FIGARO, valet de chambre du comte, et concierge [2] du château
SUZANNE, première camariste [3] de la comtesse, et fiancée de Figaro
MARCELINE, femme de charge [4]
ANTONIO, jardinier du château, oncle de Suzanne et père de Fanchette
FANCHETTE, fille d'Antonio
CHÉRUBIN, premier page du comte
BARTHOLO, médecin de Séville
BAZILE, maître de clavecin de la comtesse
DON GUSMAN [5] BRID'OISON, lieutenant du siège
DOUBLE-MAIN, greffier, secrétaire de don Gusman
UN HUISSIER-AUDIENCIER

1. *Grand corrégidor* : premier officier de justice de la province.
2. *Concierge* : nous dirions *intendant*. Notre mot *concierge* correspond en effet à *portier* au XVIIIe siècle. Figaro est aussi l'homme d'affaires du comte.
3. Sur *camariste*, voir note 1, p. 35.
4. La femme de charge s'occupe du linge, de la vaisselle, etc.
5. *Don Gusman* : ce nom rappelle celui du conseiller Goezman (voir la chronologie, année 1773).

GRIPPE-SOLEIL, jeune pastoureau[1]
UNE JEUNE BERGÈRE
PÉDRILLE, piqueur du comte

TROUPE DE VALETS
TROUPE DE PAYSANNES } personnages muets
TROUPE DE PAYSANS

La scène est au château d'Aguas-Frescas[2],
à trois lieues de Séville.

PLACEMENT DES ACTEURS

Pour faciliter les jeux du théâtre, on a eu l'attention d'écrire au commencement de chaque scène le nom des personnages dans l'ordre où le spectateur les voit. S'ils font quelque mouvement grave dans la scène, il est désigné par un nouvel ordre de noms, écrit en marge[3] à l'instant qu'il arrive. Il est important de conserver les bonnes positions théâtrales ; le relâchement dans la tradition donnée par les premiers acteurs en produit bientôt un total dans le jeu des pièces, qui finit par assimiler les troupes négligentes aux plus faibles comédiens de société.

---

1. *Pastoureau* : petit pasteur.
2. Il s'agit probablement du palais du Riofrio, que Beaumarchais évoque dans une lettre écrite de Madrid à son père en 1764.
3. Nous les donnons ici en bas de page, précédés de l'astérisque.

LA FOLLE JOURNÉE

OU

LE MARIAGE DE FIGARO

Comédie en cinq actes, en prose

ACTE PREMIER

Le théâtre représente une chambre à demi démeublée; un grand fauteuil de malade est au milieu. Figaro, avec une toise, mesure le plancher. Suzanne attache à sa tête, devant une glace, le petit bouquet de fleurs d'orange appelé chapeau de la mariée[1].

SCÈNE PREMIÈRE

FIGARO, SUZANNE

FIGARO : Dix-neuf pieds sur vingt-six.

SUZANNE : Tiens, Figaro, voilà mon petit chapeau; le trouves-tu mieux ainsi?

FIGARO *lui prend les mains* : Sans comparaison,

---

1. Pour les décors de chaque acte, voir p. 252.

ma charmante. Oh! que ce joli bouquet virginal, élevé sur la tête d'une belle fille, est doux, le matin des noces, à l'œil amoureux d'un époux!...

SUZANNE *se retire*: Que mesures-tu donc là, mon fils?

FIGARO : Je regarde, ma petite Suzanne, si ce beau lit que Monseigneur nous donne aura bonne grâce ici.

SUZANNE : Dans cette chambre?

FIGARO : Il nous la cède.

SUZANNE : Et moi je n'en veux point.

FIGARO : Pourquoi?

SUZANNE : Je n'en veux point.

FIGARO : Mais encore?

SUZANNE : Elle me déplaît.

FIGARO : On dit une raison.

SUZANNE : Si je n'en veux pas dire?

FIGARO : Oh! quand elles sont sûres de nous!

SUZANNE : Prouver que j'ai raison serait accorder que je puis avoir tort. Es-tu mon serviteur, ou non?

FIGARO : Tu prends de l'humeur contre la chambre du château la plus commode, et qui tient le milieu des deux appartements. La nuit, si Madame est incommodée, elle sonnera de son côté; zeste[1]! en deux pas tu es chez elle. Monseigneur veut-il quelque chose? il n'a qu'à tinter[2] du sien; crac! en trois sauts me voilà rendu.

---

1. *Zeste!* : interjection marquant la rapidité.
2. L'expression, employée au sens propre, avait aussi une valeur figurée : « *Vous n'avez qu'à tinter, nous sommes à vous,* pour dire, vous n'avez qu'à donner la moindre marque de votre volonté, et nous la suivrons » *(Académie).*

SUZANNE : Fort bien ! mais quand il aura « tinté » le matin pour te donner quelque bonne et longue commission, zeste ! en deux pas, il est à ma porte, et crac ! en trois sauts…

FIGARO : Qu'entendez-vous par ces paroles ?

SUZANNE : Il faudrait m'écouter tranquillement.

FIGARO : Eh qu'est-ce qu'il y a ? bon Dieu !

SUZANNE : Il y a, mon ami, que las de courtiser les beautés des environs, M. le comte Almaviva veut rentrer au château, mais non pas chez sa femme ; c'est sur la tienne, entends-tu, qu'il a jeté ses vues, auxquelles il espère que ce logement ne nuira pas. Et c'est ce que le loyal Bazile, honnête agent de ses plaisirs et mon noble maître à chanter, me répète chaque jour en me donnant leçon.

FIGARO : Bazile ! ô mon mignon ! si jamais volée de bois vert appliquée sur une échine a dûment redressé la moelle épinière à quelqu'un…

SUZANNE : Tu croyais, bon garçon ! que cette dot qu'on me donne était pour les beaux yeux de ton mérite ?

FIGARO : J'avais assez fait pour l'espérer[1].

SUZANNE : Que les gens d'esprit sont bêtes !

FIGARO : On le dit.

SUZANNE : Mais c'est qu'on ne veut pas le croire !

FIGARO : On a tort.

SUZANNE : Apprends qu'il la destine à obtenir de moi, secrètement, certain quart d'heure, seul à

---

1. Première allusion au *Barbier de Séville*, aux manœuvres de Figaro pour assurer le mariage du comte.

seule, qu'un ancien droit du seigneur[1]... Tu sais
s'il était triste !

FIGARO : Je le sais tellement que, si monsieur le
comte, en se mariant, n'eût pas aboli ce droit
honteux, jamais je ne t'eusse épousée dans ses
domaines.

SUZANNE : Eh bien ! s'il l'a détruit, il s'en repent ;
et c'est de ta fiancée qu'il veut le racheter en
secret aujourd'hui.

FIGARO, *se frottant la tête* : Ma tête s'amollit de surprise ; et mon front fertilisé...

SUZANNE : Ne le frotte donc pas !

FIGARO : Quel danger ?

SUZANNE, *riant* : S'il y venait un petit bouton...
Des gens superstitieux...

FIGARO : Tu ris, friponne ! Ah ! s'il y avait moyen
d'attraper ce grand trompeur, de le faire donner
dans un bon piège, et d'empocher son or !

SUZANNE : De l'intrigue et de l'argent ; te voilà
dans ta sphère.

FIGARO : Ce n'est pas la honte qui me retient.

SUZANNE : La crainte ?

FIGARO : Ce n'est rien d'entreprendre une chose
dangereuse, mais d'échapper au péril[2] en la
menant à bien : car, d'entrer chez quelqu'un la
nuit, de lui souffler sa femme et d'y recevoir cent
coups de fouet pour la peine, il n'est rien plus
aisé ; mille sots coquins l'ont fait. Mais...

---

1. Ou *droit de cuissage* : à ce propos Voltaire avait écrit en 1762
une comédie intitulée *Le Droit du seigneur* ; de même, Desfontaines,
en 1783. Le thème était à la mode.
2. La formule est très concise. Entendre : « [...] mais ce qui est
beau c'est d'échapper au péril [...]. »

On sonne de l'intérieur.

SUZANNE : Voilà Madame éveillée ; elle m'a bien recommandé d'être la première à lui parler le matin de mes noces.

FIGARO : Y a-t-il encore quelque chose là-dessous ?

SUZANNE : Le berger dit que cela porte bonheur aux épouses délaissées. Adieu, mon petit Fi, Fi, Figaro. Rêve à notre affaire.

FIGARO : Pour m'ouvrir l'esprit, donne un petit baiser.

SUZANNE : À mon amant[1] aujourd'hui ? Je t'en souhaite ! Et qu'en dirait demain mon mari ?

Figaro l'embrasse.

SUZANNE : Hé bien ! hé bien !

FIGARO : C'est que tu n'as pas d'idée de mon amour.

SUZANNE, *se défripant* : Quand cesserez-vous, importun, de m'en parler du matin au soir ?

FIGARO, *mystérieusement* : Quand je pourrai te le prouver du soir jusqu'au matin.

On sonne une seconde fois.

SUZANNE, *de loin, les doigts unis sur sa bouche* : Voilà votre baiser, monsieur ; je n'ai plus rien à vous.

FIGARO *court après elle* : Oh ! mais ce n'est pas ainsi que vous l'avez reçu...

_____

1. À celui qui m'aime, à mon fiancé.

SCÈNE II

FIGARO, *seul.*

La charmante fille ! toujours riante, verdissante,
pleine de gaieté, d'esprit, d'amour et de délices !
mais sage !... *(Il marche vivement en se frottant les
mains.)* Ah, monseigneur ! mon cher monseigneur !
vous voulez m'en donner... à garder[1] ? Je cher-
chais aussi pourquoi, m'ayant nommé concierge,
il m'emmène à son ambassade et m'établit courrier de dépêches. J'entends, Monsieur le Comte :
trois promotions à la fois ; vous, compagnon
ministre[2] ; moi, casse-cou politique[3], et Suzon,
dame du lieu, l'ambassadrice de poche ; et puis
fouette courrier ! pendant que je galoperais d'un
côté, vous feriez faire de l'autre à ma belle un joli
chemin ! Me crottant, m'échinant pour la gloire
de votre famille ; vous, daignant concourir à l'ac-
croissement de la mienne ! Quelle douce récipro-
cité ! Mais, Monseigneur, il y a de l'abus. Faire à

1. *M'en donner... à garder* : me duper. Mais les points de suspension indiquent que Figaro donne au début de l'expression un tout
autre sens !
2. Ambassadeur, le comte est ministre. *Compagnon*, par une
alliance plaisante, indique qu'il débute dans la carrière diplomatique et n'est pas encore un *maître.*
3. « On appelle aussi *casse-cou* [...] les gens employés à monter
les chevaux jeunes ou vicieux » (*Académie*, 1798). « Il se dit [...]
familièrement d'un personnage peu important qui est chargé
d'une négociation hasardeuse » (*ibid.*, 1835). De la même façon,
Figaro sera traité par Bazile de « jockey diplomatique » (acte IV,
sc. x).

Londres, en même temps, les affaires de votre
maître et celles de votre valet! représenter à la
fois le roi et moi, dans une cour étrangère, c'est
trop de moitié, c'est trop. Pour toi, Bazile! fripon
mon cadet! je veux t'apprendre à clocher devant
les boiteux[1]; je veux... non, dissimulons avec eux
pour les enferrer l'un par l'autre. Attention sur
la journée, monsieur Figaro! D'abord avancer
l'heure de votre petite fête, pour épouser plus
sûrement; écarter une Marceline qui de vous est
friande en diable; empocher l'or et les présents;
donner le change aux petites passions de Monsieur le Comte; étriller rondement monsieur du
Bazile et...

SCÈNE III

MARCELINE, BARTHOLO, FIGARO

FIGARO *s'interrompt* : ... Héééé, voilà le gros docteur, la fête sera complète. Hé, bonjour, cher
docteur de mon cœur. Est-ce ma noce avec Suzon
qui vous attire au château?

BARTHOLO, *avec dédain* : Ah! mon cher monsieur, point du tout.

FIGARO : Cela serait bien généreux!

BARTHOLO : Certainement, et par trop sot.

FIGARO : Moi qui eus le malheur de troubler la
vôtre!

1. *Clocher devant les boiteux* : faire le capable devant celui qui est
le plus habile.

BARTHOLO : Avez-vous autre chose à nous dire?

FIGARO : On n'aura pas pris soin de votre mule[1]!

BARTHOLO, en colère : Bavard enragé! laissez-nous.

FIGARO : Vous vous fâchez, docteur? les gens de votre état sont bien durs! pas plus de pitié des pauvres animaux… en vérité… que si c'était des hommes! Adieu, Marceline : avez-vous toujours envie de plaider contre moi?

Pour n'aimer pas, faut-il qu'on se haïsse[2]?

Je m'en rapporte au docteur.

BARTHOLO : Qu'est-ce que c'est?

FIGARO : Elle vous le contera de reste.

Il sort[3].

SCÈNE IV

MARCELINE, BARTHOLO

BARTHOLO *le regarde aller* : Ce drôle est toujours le même! et à moins qu'on ne l'écorche vif, je prédis qu'il mourra dans la peau du plus fier insolent…

1. Figaro, lui, prenait soin d'elle puisqu'il mettait un cataplasme sur les yeux de la pauvre bête! (*Le Barbier de Séville*, acte II, sc. IV).
2. Le vers est de Voltaire (*Nanine*, acte III, sc. VI, v. 1256).
3. Édition d'Amsterdam : *En s'en allant il donne une tape sur le ventre du docteur.*

MARCELINE *le retourne* : Enfin vous voilà donc, éternel docteur ? toujours si grave et compassé qu'on pourrait mourir en attendant vos secours, comme on s'est marié jadis malgré vos précautions.

BARTHOLO : Toujours amère et provocante ! Eh bien, qui[1] rend donc ma présence au château si nécessaire ? Monsieur le comte a-t-il eu quelque accident ?

MARCELINE : Non, docteur.

BARTHOLO : La Rosine[2], sa trompeuse comtesse, est-elle incommodée, Dieu merci ?

MARCELINE : Elle languit.

BARTHOLO : Et de quoi ?

MARCELINE : Son mari la néglige.

BARTHOLO, *avec joie* : Ah, le digne époux qui me venge !

MARCELINE : On ne sait comment définir le comte ; il est jaloux et libertin.

BARTHOLO : Libertin par ennui, jaloux par vanité ; cela va sans dire.

MARCELINE : Aujourd'hui, par exemple, il marie notre Suzanne à son Figaro qu'il comble en faveur de cette union...

BARTHOLO : Que Son Excellence a rendue nécessaire !

MARCELINE : Pas tout à fait ; mais dont Son Excellence voudrait égayer en secret l'événement avec l'épousée...

---

1. Qu'est-ce qui...
2. L'emploi de l'article avec les noms propres, au xviiie siècle, ne marque pas toujours la familiarité.

BARTHOLO : De M. Figaro ? C'est un marché qu'on peut conclure avec lui.

MARCELINE : Bazile assure que non.

BARTHOLO : Cet autre maraud loge ici ? C'est une caverne[1] ! Eh, qu'y fait-il ?

MARCELINE : Tout le mal dont il est capable. Mais le pis que j'y trouve est cette ennuyeuse passion qu'il a pour moi depuis si longtemps.

BARTHOLO : Je me serais débarrassée vingt fois de sa poursuite.

MARCELINE : De quelle manière ?

BARTHOLO : En l'épousant.

MARCELINE : Railleur fade et cruel, que ne vous débarrassez-vous de la mienne à ce prix ? ne le devez-vous pas ? où est le souvenir de vos engagements ? qu'est devenu celui de notre petit Emmanuel, ce fruit d'un amour oublié, qui devait nous conduire à des noces ?

BARTHOLO, *ôtant son chapeau* : Est-ce pour écouter ces sornettes que vous m'avez fait venir de Séville ? Et cet accès d'hymen qui vous reprend si vif...

MARCELINE : Eh bien ! n'en parlons plus. Mais si rien n'a pu vous porter à la justice de m'épouser, aidez-moi donc du moins à en épouser un autre.

BARTHOLO : Ah ! volontiers : parlons. Mais quel mortel abandonné du Ciel et des femmes ?...

MARCELINE : Eh ! qui pourrait-ce être, docteur, sinon le beau, le gai, l'aimable[2] Figaro ?

---

1. Une caverne de brigands ou de voleurs : Beaumarchais se réfère ici à la tradition du roman picaresque.
2. *Aimable* : digne en tout point d'être aimé.

BARTHOLO : Ce fripon-là ?

MARCELINE : Jamais fâché ; toujours en belle humeur ; donnant le présent à la joie, et s'inquiétant de l'avenir tout aussi peu que du passé ; sémillant, généreux ! généreux…

BARTHOLO : Comme un voleur.

MARCELINE : Comme un seigneur. Charmant enfin ; mais c'est le plus grand monstre !

BARTHOLO : Et sa Suzanne ?

MARCELINE : Elle ne l'aurait pas, la rusée, si vous vouliez m'aider, mon petit docteur, à faire valoir un engagement que j'ai de lui.

BARTHOLO : Le jour de son mariage ?

MARCELINE : On en rompt de plus avancés ; et si je ne craignais d'éventer un petit secret des femmes !…

BARTHOLO : En ont-elles pour le médecin du corps ?

MARCELINE : Ah, vous savez que je n'en ai pas pour vous ! Mon sexe est ardent, mais timide : un certain charme a beau nous attirer vers le plaisir, la femme la plus aventurée[1] sent en elle une voix qui lui dit : sois belle si tu peux, sage si tu veux ; mais sois considérée, il le faut. Or, puisqu'il faut être au moins considérée, que toute femme en sent l'importance, effrayons d'abord la Suzanne sur la divulgation des offres qu'on lui fait.

BARTHOLO : Où cela mènera-t-il ?

MARCELINE : Que la honte la prenant au collet, elle continuera de refuser le comte, lequel pour

---

1. *Aventurée* : tentée par les aventures. L'emploi de ce mot appliqué à une personne est, à l'époque, tout à fait nouveau.

se venger, appuiera l'opposition que j'ai faite à son mariage; alors le mien devient certain.

BARTHOLO : Elle a raison. Parbleu, c'est un bon tour que de faire épouser ma vieille gouvernante au coquin qui fit enlever ma jeune maîtresse[1].

MARCELINE, *vite* : Et qui croit ajouter à ses plaisirs en trompant mes espérances.

BARTHOLO, *vite* : Et qui m'a volé dans le temps cent écus[2] que j'ai sur le cœur.

MARCELINE : Ah! quelle volupté!...

BARTHOLO : De punir un scélérat...

MARCELINE : De l'épouser, docteur, de l'épouser!

SCÈNE V

MARCELINE, BARTHOLO, SUZANNE

SUZANNE, *un bonnet de femme avec un large ruban dans la main, une robe de femme sur le bras* : L'épouser! l'épouser! qui donc? Mon Figaro?

MARCELINE, *aigrement* : Pourquoi non? Vous l'épousez bien!

BARTHOLO, *riant* : Le bon argument de femme en colère! Nous parlions, belle Suzon, du bonheur qu'il aura de vous posséder.

MARCELINE : Sans compter Monseigneur dont on ne parle pas.

SUZANNE, *une révérence* : Votre servante, Madame;

---

1. Au sens classique simplement de « femme aimée ».
2. Voir la dernière scène du *Barbier de Séville*.

il y a toujours quelque chose d'amer dans vos propos.

MARCELINE, *une révérence* : Bien la vôtre, Madame ; où donc est l'amertume ? N'est-il pas juste qu'un libéral[1] seigneur partage un peu la joie qu'il procure à ses gens ?

SUZANNE : Qu'il procure ?

MARCELINE : Oui, Madame.

SUZANNE : Heureusement la jalousie de Madame est aussi connue que ses droits sur Figaro sont légers.

MARCELINE : On eût pu les rendre plus forts en les cimentant à la façon de Madame.

SUZANNE : Oh ! cette façon, Madame, est celle des dames savantes[2].

MARCELINE : Et l'enfant ne l'est pas du tout ! Innocente comme un vieux juge !

BARTHOLO, *attirant Marceline* : Adieu, jolie fiancée de notre Figaro.

MARCELINE, *une révérence* : L'accordée secrète de Monseigneur.

SUZANNE, *une révérence* : Qui vous estime beaucoup, Madame.

MARCELINE, *une révérence* : Me fera-t-elle aussi l'honneur de me chérir un peu, Madame ?

SUZANNE, *une révérence* : À cet égard, Madame n'a rien à désirer.

---

1. *Libéral* : généreux.
2. *Dame* est une allusion à l'âge : *savante*, à l'instruction de Marceline (voir note suivante). Mais ce second mot est à double sens : « On dit qu'une personne est trop savante, bien savante, pour dire qu'elle sait des choses qu'elle devrait ignorer » *(Académie)* ; d'où la réplique suivante.

MARCELINE, *une révérence* : C'est une si jolie personne que Madame !

SUZANNE, *une révérence* : Eh ! mais assez pour désoler Madame.

MARCELINE, *une révérence* : Surtout bien respectable !

SUZANNE, *une révérence* : C'est aux duègnes à l'être.

MARCELINE, *outrée* : Aux duègnes ! aux duègnes !

BARTHOLO, *l'arrêtant* : Marceline !

MARCELINE : Allons, docteur ; car je n'y tiendrais pas. Bonjour, Madame. *(Une révérence.)*

SCÈNE VI

SUZANNE, *seule.*

Allez, Madame ! allez, pédante ! je crains aussi peu vos efforts que je méprise vos outrages. Voyez cette vieille sibylle[1] ! parce qu'elle a fait quelques études et tourmenté la jeunesse de Madame[2], elle veut tout dominer au château ! *(Elle jette la robe qu'elle tient sur une chaise.)* Je ne sais plus ce que je venais prendre.

---

1. *Vieille sibylle* : « On dit figurément et familièrement d'une fille âgée qui fait parade d'esprit et de science que c'est une *vieille sibylle* » (*Académie*).
2. Marceline était en effet gouvernante chez Bartholo. Voir *Le Barbier de Séville*, acte II, sc. IV.

SCÈNE VII

SUZANNE, CHÉRUBIN

CHÉRUBIN, *accourant* : Ah, Suzon! depuis deux heures j'épie le moment de te trouver seule. Hélas! tu te maries, et moi je vais partir.

SUZANNE : Comment mon mariage éloigne-t-il du château le premier page de Monseigneur?

CHÉRUBIN, *piteusement* : Suzanne, il me renvoie.

SUZANNE *le contrefait* : Chérubin, quelque sottise!

CHÉRUBIN : Il m'a trouvé hier au soir chez ta cousine Fanchette, à qui je faisais répéter son petit rôle d'innocente, pour la fête de ce soir : il s'est mis dans une fureur en me voyant! « Sortez, m'a-t-il dit, petit... » Je n'ose pas prononcer devant une femme le gros mot qu'il a dit... « Sortez; et demain vous ne coucherez pas au château. » Si Madame, si ma belle marraine ne parvient pas à l'apaiser, c'est fait, Suzon, je suis à jamais privé du bonheur de te voir.

SUZANNE : De me voir! moi? c'est mon tour! Ce n'est donc plus pour ma maîtresse que vous soupirez en secret?

CHÉRUBIN : Ah! Suzon, qu'elle est noble et belle! mais qu'elle est imposante!

SUZANNE : C'est-à-dire que je ne le suis pas, et qu'on peut oser avec moi...

CHÉRUBIN : Tu sais trop bien, méchante, que je n'ose pas oser. Mais que tu es heureuse! à tous moments la voir, lui parler, l'habiller le matin et

la déshabiller le soir, épingle à épingle... ah!
Suzon! je donnerais... Qu'est-ce que tu tiens
donc là?

SUZANNE, *raillant* : Hélas! l'heureux bonnet et le
fortuné ruban qui renferment la nuit les cheveux
de cette belle marraine...

CHÉRUBIN, *vivement* : Son ruban de nuit! donne-
le-moi, mon cœur.

SUZANNE, *le retirant* : Eh! que non pas; « son
cœur! » Comme il est familier donc! si ce n'était
pas un morveux sans conséquence[1]... *(Chérubin
arrache le ruban.)* Ah! le ruban!

CHÉRUBIN *tourne autour du grand fauteuil* : Tu diras
qu'il est égaré, gâté; qu'il est perdu. Tu diras tout
ce que tu voudras.

SUZANNE *tourne après lui* : Oh! dans trois ou
quatre ans, je prédis que vous serez le plus grand
petit vaurien!... Rendez-vous le ruban?

Elle veut le reprendre.

CHÉRUBIN *tire une romance de sa poche* : Laisse, ah,
laisse-le-moi, Suzon; je te donnerai ma romance,
et pendant que le souvenir de ta belle maîtresse
attristera tous mes moments, le tien y versera le
seul rayon de joie qui puisse encore amuser mon
cœur.

SUZANNE *arrache la romance* : Amuser votre cœur,
petit scélérat! vous croyez parler à votre Fanchette; on vous surprend chez elle; et vous soupi-

---

1. *Sans conséquence* : « On dit aussi en matière de galanterie
qu'un homme est *sans conséquence* lorsqu'il est d'une réputation et
d'un âge qui mettent à l'abri de soupçon les femmes avec les-
quelles il est lié » *(Académie).*

rez pour Madame ; et vous m'en contez à moi,
par-dessus le marché !

CHÉRUBIN, *exalté* : Cela est vrai, d'honneur ! je ne
sais plus ce que je suis ; mais depuis quelque temps
je sens ma poitrine agitée ; mon cœur palpite au
seul aspect d'une femme ; les mots *amour* et *volupté*
le font tressaillir et le troublent. Enfin le besoin
de dire à quelqu'un *je vous aime* est devenu pour
moi si pressant que je le dis tout seul, en courant
dans le parc, à ta maîtresse, à toi, aux arbres, aux
nuages, au vent qui les emporte avec mes paroles
perdues. Hier je rencontrai Marceline…

SUZANNE, *riant* : Ah, ah, ah, ah !

CHÉRUBIN : Pourquoi non ? elle est femme ! elle
est fille ! une fille ! une femme ! ah que ces noms
sont doux ! qu'ils sont intéressants[1] !

SUZANNE : Il devient fou !

CHÉRUBIN : Fanchette est douce ; elle m'écoute
au moins ; tu ne l'es pas, toi !

SUZANNE : C'est bien dommage ; écoutez donc
Monsieur !

Elle veut arracher le ruban.

CHÉRUBIN *tourne en fuyant* : Ah ! ouiche ! on ne
l'aura, vois-tu, qu'avec ma vie. Mais, si tu n'es pas
contente du prix, j'y joindrai mille baisers.

Il lui donne chasse à son tour.

SUZANNE *tourne en fuyant* : Mille soufflets, si vous
approchez. Je vais m'en plaindre à ma maîtresse ;

---

1. *Intéressants* : ici, émouvants, excitants, comme souvent au
XVIIIe siècle.

et loin de supplier pour vous, je dirai moi-même à Monseigneur : C'est bien fait, Monseigneur ; chassez-nous ce petit voleur ; renvoyez à ses parents un petit mauvais sujet qui se donne les airs d'aimer Madame, et qui veut toujours m'embrasser par contrecoup.

CHÉRUBIN *voit le comte entrer ; il se jette derrière le fauteuil avec effroi* : Je suis perdu !

SUZANNE : Quelle frayeur ?

SCÈNE VIII

SUZANNE, LE COMTE, CHÉRUBIN *caché.*

SUZANNE *aperçoit le comte* : Ah !... (*Elle s'approche du fauteuil pour masquer Chérubin.*)

LE COMTE *s'avance* : Tu es émue, Suzon ! tu parlais seule, et ton petit cœur paraît dans une agitation... bien pardonnable, au reste, un jour comme celui-ci.

SUZANNE, *troublée* : Monseigneur, que me voulez-vous ? Si l'on vous trouvait avec moi...

LE COMTE : Je serais désolé qu'on m'y surprît ; mais tu sais tout l'intérêt que je prends à toi. Bazile ne t'a pas laissé ignorer mon amour. Je n'ai rien qu'un instant pour t'expliquer mes vues ; écoute.

Il s'assied dans le fauteuil.

SUZANNE, *vivement* : Je n'écoute rien.

LE COMTE *lui prend la main* : Un seul mot. Tu

sais que le roi m'a nommé son ambassadeur à Londres. J'emmène avec moi Figaro ; je lui donne un excellent poste ; et comme le devoir d'une femme est de suivre son mari...

SUZANNE : Ah ! si j'osais parler !

LE COMTE *la rapproche de lui* : Parle, parle, ma chère ; use aujourd'hui d'un droit que tu prends sur moi pour la vie.

SUZANNE, *effrayée* : Je n'en veux point, Monseigneur, je n'en veux point. Quittez-moi, je vous prie.

LE COMTE : Mais dis auparavant.

SUZANNE, *en colère* : Je ne sais plus ce que je disais.

LE COMTE : Sur le devoir des femmes.

SUZANNE : Eh bien ! lorsque Monseigneur enleva la sienne de chez le docteur, et qu'il l'épousa par amour, lorsqu'il abolit pour elle un certain affreux droit du seigneur...

LE COMTE, *gaiement* : Qui faisait bien de la peine aux filles ! Ah Suzette ! ce droit charmant ! si tu venais en jaser sur la brune[1] au jardin, je mettrais un tel prix à cette légère faveur...

BAZILE *parle en dehors* : Il n'est pas chez lui, Monseigneur.

LE COMTE *se lève* : Quelle est cette voix ?

SUZANNE : Que je suis malheureuse !

LE COMTE : Sors, pour qu'on n'entre pas.

SUZANNE, *troublée* : Que je vous laisse ici ?

BAZILE *crie en dehors* : Monseigneur était chez Madame, il en est sorti : je vais voir.

---

1. *Sur la brune* : à la tombée de la nuit.

LE COMTE : Et pas un lieu pour se cacher ! ah !
derrière ce fauteuil… assez mal ; mais renvoie-le
bien vite.

> *Suzanne lui barre le chemin ; il la pousse*
> *doucement, elle recule, et se met ainsi entre*
> *lui et le petit page ; mais pendant que le*
> *comte s'abaisse et prend sa place, Chérubin*
> *tourne et se jette effrayé sur le fauteuil à*
> *genoux, et s'y blottit. Suzanne prend la robe*
> *qu'elle apportait, en couvre le page et se met*
> *devant le fauteuil.*

SCÈNE IX

LE COMTE *et* CHÉRUBIN *cachés,* SUZANNE,
BAZILE

BAZILE : N'auriez-vous pas vu Monseigneur,
mademoiselle ?

SUZANNE, *brusquement* : Hé ! pourquoi l'aurais-je
vu ? Laissez-moi.

BAZILE *s'approche* : Si vous étiez plus raisonnable,
il n'y aurait rien d'étonnant à ma question. C'est
Figaro qui le cherche.

SUZANNE : Il cherche donc l'homme qui lui veut
le plus de mal après vous ?

LE COMTE, *à part* : Voyons un peu comme il me
sert.

BAZILE : Désirer du bien à une femme, est-ce
vouloir du mal à son mari ?

SUZANNE : Non, dans vos affreux principes,
agent de corruption.

BAZILE : Que vous demande-t-on ici que vous n'alliez prodiguer à un autre ? Grâce à la douce cérémonie, ce qu'on vous défendait hier, on vous le prescrira demain.

SUZANNE : Indigne !

BAZILE : De toutes les choses sérieuses le mariage étant la plus bouffonne, j'avais pensé...

SUZANNE, *outrée* : Des horreurs ! Qui vous permet d'entrer ici ?

BAZILE : Là, là, mauvaise ! Dieu vous apaise ! il n'en sera que ce que vous voulez ; mais ne croyez pas non plus que je regarde Monsieur Figaro comme l'obstacle qui nuit à Monseigneur ; et sans le petit page...

SUZANNE, *timidement* : Don Chérubin ?

BAZILE *la contrefait* : *Cherubino di amore,* qui tourne autour de vous sans cesse, et qui ce matin encore, rôdait ici pour y entrer quand je vous ai quittée ; dites que cela n'est pas vrai ?

SUZANNE : Quelle imposture ! Allez-vous-en, méchant homme !

BAZILE : On est un méchant homme parce qu'on y voit clair. N'est-ce pas pour vous aussi cette romance dont il fait mystère ?

SUZANNE, *en colère* : Ah ! oui, pour moi !...

BAZILE : À moins qu'il ne l'ait composée pour Madame ! en effet, quand il sert à table on dit qu'il la regarde avec des yeux !... mais, peste, qu'il ne s'y joue pas ! Monseigneur est *brutal*[1] sur l'article.

---

1. L'italique est probablement une indication donnée à l'acteur de détacher le mot. Ce dernier, à côté du sens affaibli de « mal élevé » (fréquent chez Molière), pouvait garder de son sens

SUZANNE, *outrée* : Et vous bien scélérat, d'aller semant de pareils bruits pour perdre un malheureux enfant tombé dans la disgrâce de son maître.

BAZILE : L'ai-je inventé ? Je le dis parce que tout le monde en parle.

LE COMTE *se lève* : Comment, tout le monde en parle !

SUZANNE* : Ah Ciel !

BAZILE : Ah ! ah !

LE COMTE : Courez, Bazile, et qu'on le chasse.

BAZILE : Ah ! que je suis fâché d'être entré !

SUZANNE, *troublée* : Mon Dieu ! Mon Dieu !

LE COMTE, *à Bazile* : Elle est saisie. Asseyons-la dans ce fauteuil.

SUZANNE *le repousse vivement* : Je ne veux pas m'asseoir. Entrer ainsi librement, c'est indigne !

LE COMTE : Nous sommes deux avec toi, ma chère. Il n'y a plus le moindre danger !

BAZILE : Moi je suis désolé de m'être égayé sur le page puisque vous l'entendiez. Je n'en usais ainsi que pour pénétrer ses sentiments, car au fond...

LE COMTE : Cinquante pistoles, un cheval, et qu'on le renvoie à ses parents.

BAZILE : Monseigneur, pour un badinage ?

LE COMTE : Un petit libertin que j'ai surpris encore hier avec la fille du jardinier.

BAZILE : Avec Fanchette ?

LE COMTE : Et dans sa chambre.

SUZANNE, *outrée* : Où Monseigneur avait sans doute affaire aussi !

---

premier (« qui tient de la bête brute ») le sens fort de « féroce, emporté ».

* Chérubin dans le fauteuil. Le comte. Suzanne. Bazile.

LE COMTE, *gaiement* : J'en aime assez la remarque.

BAZILE : Elle est d'un bon augure.

LE COMTE, *gaiement* : Mais non ! j'allais chercher ton oncle Antonio, mon ivrogne de jardinier, pour lui donner des ordres. Je frappe, on est long-temps à m'ouvrir ; ta cousine a l'air empêtré ; je prends un soupçon, je lui parle, et tout en cau-sant j'examine. Il y avait derrière la porte une espèce de rideau, de portemanteau, de je ne sais pas quoi, qui couvrait des hardes ; sans faire sem-blant de rien je vais doucement, doucement lever ce rideau* *(pour imiter le geste, il lève la robe du fau-teuil)* et je vois… *(Il aperçoit le page.)* Ah…

BAZILE : Ha ! ha !

LE COMTE : Ce tour-ci vaut l'autre.

BAZILE : Encore mieux.

LE COMTE, *à Suzanne* : À merveille, mademoi-selle : à peine fiancée vous faites de ces apprêts[1] ? C'était pour recevoir mon page que vous désiriez d'être seule ? Et vous, monsieur, qui ne changez point de conduite, il vous manquait de vous adres-ser, sans respect pour votre marraine, à sa pre-mière camariste, à la femme de votre ami ! mais je ne souffrirai pas que Figaro, qu'un homme que j'estime et que j'aime soit victime d'une pareille tromperie : était-il avec vous, Bazile ?

SUZANNE, *outrée* : Il n'y a tromperie ni victime ; il était là lorsque vous me parliez.

LE COMTE, *emporté* : Puisses-tu mentir en le disant !

---

* Suzanne. Chérubin dans le fauteuil. Le comte. Bazile.

1. Voilà les préparatifs que vous faites (pour votre mariage), à peine fiancée ?

son plus cruel ennemi n'oserait lui souhaiter ce malheur.

SUZANNE : Il me priait d'engager Madame à vous demander sa grâce. Votre arrivée l'a si fort troublé qu'il s'est masqué de ce fauteuil.

LE COMTE, *en colère* : Ruse d'enfer ! je m'y suis assis en entrant.

CHÉRUBIN : Hélas, Monseigneur, j'étais tremblant derrière.

LE COMTE : Autre fourberie ! je viens de m'y placer moi-même.

CHÉRUBIN : Pardon, mais c'est alors que je me suis blotti dedans.

LE COMTE, *plus outré* : C'est donc une couleuvre, que ce petit... serpent-là ! il nous écoutait !

CHÉRUBIN : Au contraire, Monseigneur, j'ai fait ce que j'ai pu pour ne rien entendre.

LE COMTE : Ô perfidie ! *(À Suzanne :)* Tu n'épouseras pas Figaro.

BAZILE : Contenez-vous, on vient.

LE COMTE, *tirant Chérubin du fauteuil et le mettant sur ses pieds* : Il resterait là devant toute la terre !

SCÈNE X

CHÉRUBIN, SUZANNE, FIGARO, LA COMTESSE, LE COMTE, FANCHETTE, BAZILE ; *beaucoup de valets, paysannes, paysans vêtus en habits de fête.*

FIGARO, *tenant une toque de femme garnie de plumes blanches et de rubans blancs, parle à la comtesse* : Il n'y a que vous, Madame, qui puissiez nous obtenir cette faveur.

LA COMTESSE : Vous les voyez, monsieur le comte, ils me supposent un crédit que je n'ai point : mais comme leur demande n'est pas déraisonnable...

LE COMTE, *embarrassé* : Il faudrait qu'elle le fût beaucoup...

FIGARO, *bas à Suzanne* : Soutiens bien mes efforts.

SUZANNE, *bas à Figaro* : Qui ne mèneront à rien.

FIGARO, *bas* : Va toujours.

LE COMTE, *à Figaro* : Que voulez-vous ?

FIGARO : Monseigneur, vos vassaux, touchés de l'abolition d'un certain droit fâcheux, que votre amour pour Madame...

LE COMTE : Eh bien, ce droit n'existe plus, que veux-tu dire ?

FIGARO, *malignement* : Qu'il est bien temps que la vertu d'un si bon maître éclate ; elle m'est d'un tel avantage aujourd'hui que je désire être le premier à la célébrer à mes noces.

LE COMTE, *plus embarrassé* : Tu te moques, ami ! l'abolition d'un droit honteux n'est que l'acquit[1] d'une dette envers l'honnêteté. Un Espagnol peut vouloir conquérir la beauté par des soins[2] ; mais en exiger le premier, le plus doux emploi, comme une servile redevance, ah ! c'est la tyrannie d'un Vandale, et non le droit avoué d'un noble Castillan.

---

1. *Acquit* : nous dirions l'*acquittement*.
2. *Soins* : amabilités amoureuses ; ce sens galant du terme est vieilli.

FIGARO, *tenant Suzanne par la main* : Permettez donc que cette jeune créature, de qui votre sagesse a préservé l'honneur, reçoive de votre main publiquement la toque virginale, ornée de plumes et de rubans blancs, symbole de la pureté de vos intentions ; adoptez-en la cérémonie pour tous les mariages, et qu'un quatrain chanté en chœur rappelle à jamais le souvenir…

LE COMTE, *embarrassé* : Si je ne savais pas qu'amoureux, poète et musicien sont trois titres d'indulgence pour toutes les folies…

FIGARO : Joignez-vous à moi, mes amis !

TOUS ENSEMBLE : Monseigneur ! Monseigneur !

SUZANNE, *au comte* : Pourquoi fuir un éloge que vous méritez si bien ?

LE COMTE, *à part* : La perfide !

FIGARO : Regardez-la donc, monseigneur ; jamais plus jolie fiancée ne montrera mieux la grandeur de votre sacrifice.

SUZANNE : Laisse là ma figure, et ne vantons que sa vertu.

LE COMTE, *à part* : C'est un jeu que tout ceci.

LA COMTESSE : Je me joins à eux, monsieur le comte ; et cette cérémonie me sera toujours chère, puisqu'elle doit son motif à l'amour charmant que vous aviez pour moi.

LE COMTE : Que j'ai toujours, madame ; et c'est à ce titre que je me rends.

TOUS ENSEMBLE : Vivat !

LE COMTE, *à part* : Je suis pris. *(Haut.)* Pour que la cérémonie eût un peu plus d'éclat, je voudrais seulement qu'on la remît à tantôt. *(À part.)* Faisons vite chercher Marceline.

FIGARO, *à Chérubin* : Eh bien, espiègle! vous n'applaudissez pas?

SUZANNE : Il est au désespoir; Monseigneur le renvoie.

LA COMTESSE : Ah! monsieur, je vous demande sa grâce.

LE COMTE : Il ne la mérite point.

LA COMTESSE : Hélas! il est si jeune!

LE COMTE : Pas tant que vous le croyez.

CHÉRUBIN, *tremblant* : Pardonner généreusement n'est pas le droit du seigneur auquel vous avez renoncé en épousant Madame.

LA COMTESSE : Il n'a renoncé qu'à celui qui vous affligeait tous.

SUZANNE : Si Monseigneur avait cédé le droit de pardonner, ce serait sûrement le premier qu'il voudrait racheter en secret.

LE COMTE, *embarrassé* : Sans doute.

LA COMTESSE : Eh! pourquoi le racheter?

CHÉRUBIN, *au comte* : Je fus léger dans ma conduite, il est vrai, Monseigneur; mais jamais la moindre indiscrétion dans mes paroles…

LE COMTE, *embarrassé* : Eh bien, c'est assez…

FIGARO : Qu'entend-il?

LE COMTE, *vivement* : C'est assez, c'est assez, tout le monde exige son pardon, je l'accorde, et j'irai plus loin : je lui donne une compagnie dans ma légion.

TOUS ENSEMBLE : Vivat!

LE COMTE : Mais c'est à condition qu'il partira sur-le-champ pour joindre[1] en Catalogne.

---

1. *Joindre* : rejoindre son poste, son régiment.

FIGARO : Ah ! Monseigneur, demain.

LE COMTE *insiste* : Je le veux.

CHÉRUBIN : J'obéis.

LE COMTE : Saluez votre marraine, et demandez sa protection. (*Chérubin met un genou en terre devant la comtesse, et ne peut parler.*)

LA COMTESSE, *émue* : Puisqu'on ne peut vous garder seulement aujourd'hui, partez, jeune homme. Un nouvel état vous appelle ; allez le remplir dignement. Honorez votre bienfaiteur. Souvenez-vous de cette maison, où votre jeunesse a trouvé tant d'indulgence. Soyez soumis, honnête et brave ; nous prendrons part à vos succès.

> *Chérubin se relève et retourne à sa place.*

LE COMTE : Vous êtes bien émue, madame !

LA COMTESSE : Je ne m'en défends pas. Qui sait le sort d'un enfant jeté dans une carrière aussi dangereuse ? Il est allié de mes parents ; et de plus, il est mon filleul.

LE COMTE, *à part* : Je vois que Bazile avait raison. (*Haut.*) Jeune homme, embrassez Suzanne… pour la dernière fois.

FIGARO[1] : Pourquoi cela, monseigneur ? Il viendra passer ses hivers. Baise-moi donc aussi, capitaine ! (*Il l'embrasse.*) Adieu, mon petit Chérubin. Tu vas mener un train de vie bien différent, mon enfant : dame ! tu ne rôderas plus tout le jour au quartier des femmes : plus d'échaudés, de goûters

---

1. Édition d'Amsterdam : FIGARO, *se mettant entre Suzanne et Chérubin qui s'approche pour l'embrasser.*

à la crème; plus de main chaude ou de colin-
maillard. De bons soldats, morbleu! basanés, mal
vêtus; un grand fusil bien lourd; tourne à droite,
tourne à gauche, en avant, marche à la gloire; et
ne va pas broncher en chemin; à moins qu'un
bon coup de feu...

SUZANNE : Fi donc, l'horreur!

LA COMTESSE : Quel pronostic!

LE COMTE : Où donc est Marceline? Il est bien
singulier qu'elle ne soit pas des vôtres!

FANCHETTE : Monseigneur, elle a pris le chemin
du bourg, par le petit sentier de la ferme.

LE COMTE : Et elle en reviendra?...

BAZILE : Quand il plaira à Dieu.

FIGARO : S'il lui plaisait qu'il ne lui plût jamais...

FANCHETTE : Monsieur le Docteur lui donnait le
bras.

LE COMTE, *vivement* : Le docteur est ici?

BAZILE : Elle s'en est d'abord[1] emparée...

LE COMTE, *à part* : Il ne pouvait venir plus à
propos.

FANCHETTE : Elle avait l'air bien échauffé, elle
parlait tout haut en marchant, puis elle s'arrêtait,
et faisait comme ça, de grands bras... et Monsieur
le Docteur lui faisait comme ça de la main, en
l'apaisant : elle paraissait si courroucée! elle nom-
mait mon cousin Figaro.

LE COMTE *lui prend le menton* : Cousin... futur.

FANCHETTE, *montrant Chérubin* : Monseigneur,
nous avez-vous pardonné d'hier[2]?...

_____

1. *D'abord* : dès l'abord, dès son arrivée.
2. Voir sc. VII et IX.

LE COMTE *interrompt*[1] : Bonjour, bonjour, petite.

FIGARO : C'est son chien d'amour qui la berce ; elle aurait troublé notre fête.

LE COMTE, *à part* : Elle la troublera, je t'en réponds. *(Haut.)* Allons, madame, entrons. Bazile, vous passerez chez moi.

SUZANNE, *à Figaro* : Tu me rejoindras, mon fils ?

FIGARO, *bas à Suzanne* : Est-il bien enfilé[2] ?

SUZANNE, *bas* : Charmant garçon[3] !

Ils sortent tous.

SCÈNE XI

CHÉRUBIN, FIGARO, BAZILE.
*Pendant qu'on sort, Figaro les arrête
tous deux et les ramène.*

FIGARO : Ah ça, vous autres ! la cérémonie adoptée, ma fête de ce soir en est la suite ; il faut bravement nous recorder[4] : ne faisons point comme ces acteurs qui ne jouent jamais si mal que le jour où la critique est le plus éveillée. Nous n'avons point de lendemain qui nous excuse, nous. Sachons bien nos rôles aujourd'hui.

1. Édition d'Amsterdam : LE COMTE, *lui prenant le menton, dit à demi-voix, comme pour lui dire « ne dis rien »*.
2. *Enfilé* : trompé (terme emprunté au jeu de trictrac).
3. L'apostrophe est ironique : Suzanne, plus avertie, sait que le comte est moins *enfilé* que ne le croit Figaro.
4. *Bravement* : ici, habilement, adroitement. *Se recorder* : se rappeler ce que l'on doit dire ou faire, bien s'accorder, tout mettre au point ; pour les acteurs, bien régler le jeu théâtral lors des répétitions. D'où la suite du texte.

BAZILE, *malignement* : Le mien est plus difficile que tu ne crois.

FIGARO, *faisant, sans qu'il le voie, le geste de le rosser* : Tu es loin aussi de savoir tout le succès qu'il te vaudra.

CHÉRUBIN : Mon ami, tu oublies que je pars.

FIGARO : Et toi, tu voudrais bien rester !

CHÉRUBIN : Ah ! si je le voudrais !

FIGARO : Il faut ruser. Point de murmure à ton départ. Le manteau de voyage à l'épaule ; arrange ouvertement ta trousse, et qu'on voie ton cheval à la grille ; un temps de galop jusqu'à la ferme ; reviens à pied par les derrières ; Monseigneur te croira parti : tiens-toi seulement hors de sa vue ; je me charge de l'apaiser après la fête.

CHÉRUBIN : Mais Fanchette qui ne sait pas son rôle !

BAZILE : Que diable lui apprenez-vous donc, depuis huit jours que vous ne la quittez pas ?

FIGARO : Tu n'as rien à faire aujourd'hui, donne-lui par grâce une leçon.

BAZILE : Prenez garde, jeune homme, prenez garde ! le père n'est pas satisfait ; la fille a été soufletée ; elle n'étudie pas avec vous : Chérubin ! Chérubin ! vous lui causerez des chagrins ! « Tant va la cruche à l'eau » !…

FIGARO : Ah ! voilà notre imbécile, avec ses vieux proverbes ! Eh bien ! pédant ! que dit la sagesse des nations ? « Tant va la cruche à l'eau qu'à la fin… »

BAZILE : Elle s'emplit[1].

---

1. Au lieu de : *elle se casse*. On voit que Bazile est resté un *refaiseur de proverbes*, comme le disait de lui-même Beaumarchais. Voir *Le Barbier de Séville*, acte IV, sc. I.

FIGARO, *en s'en allant* : Pas si bête, pourtant, pas si bête !

FIN DU PREMIER ACTE

ACTE II

Le théâtre représente une chambre à coucher superbe, un grand lit en alcôve, une estrade au-devant. La porte pour entrer s'ouvre et se ferme à la troisième coulisse à droite, celle d'un cabinet à la première coulisse à gauche. Une porte dans le fond, va chez les femmes[1]. Une fenêtre s'ouvre de l'autre côté.

SCÈNE PREMIÈRE

SUZANNE, LA COMTESSE *entrent par la porte à droite.*

LA COMTESSE *se jette dans une bergère* : Ferme la porte, Suzanne, et conte-moi tout, dans le plus grand détail.

SUZANNE : Je n'ai rien caché à Madame.

LA COMTESSE : Quoi, Suzon, il voulait te séduire ?

SUZANNE : Oh ! que non ! Monseigneur n'y met

---

1. « On dit *femmes* au pluriel pour dire femmes de chambre » (*Académie*).

pas tant de façons avec sa servante : il voulait m'acheter.

LA COMTESSE : Et le petit page était présent ?

SUZANNE : C'est-à-dire, caché derrière le grand fauteuil. Il venait me prier de vous demander sa grâce.

LA COMTESSE : Eh ! pourquoi ne pas s'adresser à moi-même ? est-ce que je l'aurais refusé[1], Suzon ?

SUZANNE : C'est ce que j'ai dit : mais ses regrets de partir, et surtout de quitter Madame ! « Ah ! Suzon, qu'elle est noble et belle ! mais qu'elle est imposante[2] ! »

LA COMTESSE : Est-ce que j'ai cet air-là, Suzon ? moi qui l'ai toujours protégé.

SUZANNE : Puis il a vu votre ruban de nuit que je tenais, il s'est jeté dessus...

LA COMTESSE, *souriant* : Mon ruban ?... quelle enfance[3] !

SUZANNE : J'ai voulu le lui ôter ; madame, c'était un lion ; ses yeux brillaient... « Tu ne l'auras qu'avec ma vie », disait-il, en forçant sa petite voix douce et grêle.

LA COMTESSE, *rêvant* : Eh bien, Suzon ?

SUZANNE : Eh bien, madame, est-ce qu'on peut faire finir ce petit démon-là ? ma marraine par-ci ; je voudrais bien par l'autre ; et parce qu'il n'oserait seulement baiser la robe de Madame, il voudrait toujours m'embrasser, moi.

LA COMTESSE, *rêvant* : Laissons... laissons ces

---

1. *L'*représente Chérubin, selon une construction fréquente au XVIIIe siècle. *Refuser* un ami : ne rien faire de ce qu'il demande.
2. Voir acte I, sc. VII.
3. *Quelle enfance !* : quel enfantillage !

folies… Enfin, ma pauvre Suzanne, mon époux a
fini par te dire… ?

SUZANNE : Que si je ne voulais pas l'entendre, il
allait protéger Marceline.

LA COMTESSE *se lève et se promène, en se servant forte-*
ment de l'éventail : Il ne m'aime plus du tout.

SUZANNE : Pourquoi tant de jalousie ?

LA COMTESSE : Comme tous les maris, ma chère !
uniquement par orgueil. Ah ! je l'ai trop aimé ! je
l'ai lassé de mes tendresses, et fatigué de mon
amour ; voilà mon seul tort avec lui. Mais je n'entends pas que cet honnête aveu te nuise, et tu
épouseras Figaro. Lui seul peut nous y aider :
viendra-t-il ?

SUZANNE : Dès qu'il verra partir la chasse.

LA COMTESSE, *se servant de l'éventail* : Ouvre un peu
la croisée sur le jardin. Il fait une chaleur ici !…

SUZANNE : C'est que Madame parle et marche
avec action[1].

> *Elle va ouvrir la croisée du fond.*

LA COMTESSE, *rêvant longtemps* : Sans cette cons-
tance à me fuir… Les hommes sont bien coupables !

SUZANNE *crie de la fenêtre* : Ah ! voilà Monseigneur
qui traverse à cheval le grand potager, suivi de
Pédrille, avec deux, trois, quatre lévriers.

LA COMTESSE : Nous avons du temps devant nous.
(Elle s'assied.) On frappe, Suzon ?

SUZANNE *court ouvrir en chantant* : Ah ! c'est mon
Figaro ! ah ! c'est mon Figaro !

---

1. *Action* : ici, chaleur, au sens figuré.

SCÈNE II

FIGARO, SUZANNE ; LA COMTESSE, *assise.*

SUZANNE : Mon cher ami, viens donc. Madame est dans une impatience !…

FIGARO : Et toi, ma petite Suzanne ? Madame n'en doit prendre aucune. Au fait, de quoi s'agit-il ? d'une misère. M. le comte trouve notre jeune femme aimable, il voudrait en faire sa maîtresse ; et c'est bien naturel.

SUZANNE : Naturel ?

FIGARO : Puis il m'a nommé courrier de dépêches, et Suzon conseiller d'ambassade. Il n'y a pas là d'étourderie.

SUZANNE : Tu finiras ?

FIGARO : Et parce que Suzanne, ma fiancée, n'accepte pas le diplôme, il va favoriser les vues de Marceline ; quoi de plus simple encore ? Se venger de ceux qui nuisent à nos projets en renversant les leurs ; c'est ce que chacun fait ; ce que nous allons faire nous-mêmes. Eh bien ! voilà tout pourtant.

LA COMTESSE : Pouvez-vous, Figaro, traiter si légèrement un dessein qui nous coûte à tous le bonheur ?

FIGARO : Qui dit cela, madame ?

SUZANNE : Au lieu de t'affliger de nos chagrins…

FIGARO : N'est-ce pas assez que je m'en occupe ? Or, pour agir aussi méthodiquement que lui, tempérons d'abord son ardeur de nos possessions, en l'inquiétant sur les siennes.

LA COMTESSE : C'est bien dit : mais comment ?

FIGARO : C'est déjà fait, madame ; un faux avis donné sur vous…

LA COMTESSE : Sur moi ? la tête vous tourne !

FIGARO : Oh ! c'est à lui qu'elle doit tourner.

LA COMTESSE : Un homme aussi jaloux !…

FIGARO : Tant mieux : pour tirer parti des gens de ce caractère, il ne faut qu'un peu leur fouetter le sang ; c'est ce que les femmes entendent si bien ! Puis, les tient-on fâchés tout rouge, avec un brin d'intrigue on les mène où l'on veut, par le nez, dans le Guadalquivir. Je vous ai fait rendre à Bazile un billet inconnu[1], lequel avertit Monseigneur qu'un galant doit chercher à vous voir aujourd'hui pendant le bal.

LA COMTESSE : Et vous vous jouez ainsi de la vérité sur le compte d'une femme d'honneur !

FIGARO : Il y en a peu, Madame, avec qui je l'eusse osé, crainte de rencontrer juste.

LA COMTESSE : Il faudra que je l'en remercie !

FIGARO : Mais dites-moi s'il n'est pas charmant de lui avoir taillé ses morceaux de la journée[2], de façon qu'il passe à rôder, à jurer après sa dame, le temps qu'il destinait à se complaire avec la nôtre ? Il est déjà tout dérouté : galopera-t-il celle-ci ? surveillera-t-il celle-là ? dans son trouble d'esprit, tenez, tenez, le voilà qui court la plaine, et force un lièvre qui n'en peut mais. L'heure du mariage arrive en poste[3] ; il n'aura pas pris de

1. J'ai fait remettre un billet anonyme. *Vous* est simplement ici explétif.
2. *Tailler les morceaux à quelqu'un* : lui prescrire ce qu'il doit faire.
3. *En poste* : très rapidement.

parti contre; et jamais il n'osera s'y opposer devant Madame.

SUZANNE : Non; mais Marceline, le bel esprit, osera le faire, elle.

FIGARO : Brrr. Cela m'inquiète bien, ma foi! Tu feras dire à Monseigneur que tu te rendras sur la brune au jardin.

SUZANNE : Tu comptes sur celui-là[1]?

FIGARO : Oh! dame! écoutez donc; les gens qui ne veulent rien faire de rien, n'avancent rien et ne sont bons à rien. Voilà mon mot.

SUZANNE : Il est joli!

LA COMTESSE : Comme son idée : vous consentiriez qu'elle s'y rendît?

FIGARO : Point du tout. Je fais endosser un habit de Suzanne à quelqu'un : surpris par nous au rendez-vous, le comte pourra-t-il s'en dédire?

SUZANNE : À qui mes habits?

FIGARO : Chérubin.

LA COMTESSE : Il est parti.

FIGARO : Non pas pour moi : veut-on me laisser faire?

SUZANNE : On peut s'en fier à lui pour mener une intrigue.

FIGARO : Deux, trois, quatre à la fois; bien embrouillées, qui se croisent. J'étais né pour être courtisan.

SUZANNE : On dit que c'est un métier si difficile!

FIGARO : Recevoir, prendre, et demander; voilà le secret en trois mots[2].

---

1. Sur cela, sur cette solution.
2. Sur cette réplique, voir la Préface, p. 53 et n. 1.

LA COMTESSE : Il a tant d'assurance qu'il finit par m'en inspirer.

FIGARO : C'est mon dessein.

SUZANNE : Tu disais donc ?

FIGARO : Que pendant l'absence de Monseigneur je vais vous envoyer le Chérubin : coiffez-le, habillez-le ; je le renferme et l'endoctrine ; et puis dansez, Monseigneur.

Il sort.

SCÈNE III

SUZANNE, LA COMTESSE, *assise.*

LA COMTESSE, *tenant sa boîte à mouches*[1] : Mon Dieu, Suzon, comme je suis faite !… ce jeune homme qui va venir !…

SUZANNE : Madame ne veut donc pas qu'il en réchappe ?

LA COMTESSE *rêve devant sa petite glace* : Moi ?… tu verras comme je vais le gronder.

SUZANNE : Faisons-lui chanter sa romance.

Elle la met sur la comtesse.

LA COMTESSE : Mais c'est qu'en vérité, mes cheveux sont dans un désordre…

SUZANNE, *riant* : Je n'ai qu'à reprendre ces deux boucles, Madame le grondera bien mieux.

---

1. Édition d'Amsterdam : LA COMTESSE, *se regardant dans un miroir de poche.* Il y avait un miroir à l'intérieur des boîtes à mouches.

LA COMTESSE, *revenant à elle*: Qu'est-ce que vous dites donc, mademoiselle?

SCÈNE IV

CHÉRUBIN, *l'air honteux*, SUZANNE,
LA COMTESSE *assise.*

SUZANNE : Entrez, monsieur l'officier; on est visible.

CHÉRUBIN *avance en tremblant*: Ah, que ce nom m'afflige, Madame! il m'apprend qu'il faut quitter des lieux... une marraine si... bonne!...

SUZANNE : Et si belle!

CHÉRUBIN, *avec un soupir*: Ah! oui.

SUZANNE *le contrefait*: «Ah! oui.» Le bon jeune homme! avec ses longues paupières hypocrites. Allons, bel oiseau bleu[1], chantez la romance à Madame.

LA COMTESSE *la déplie*: De qui... dit-on qu'elle est?

SUZANNE : Voyez la rougeur du coupable : en a-t-il un pied sur les joues?

CHÉRUBIN : Est-ce qu'il est défendu... de chérir...

SUZANNE *lui met le poing sous le nez*: Je dirai tout, vaurien!

LA COMTESSE : Là... chante-t-il?

CHÉRUBIN : Oh! Madame, je suis si tremblant!...

SUZANNE, *en riant*: Et gnian, gnian, gnian, gnian,

---

1. Chérubin a un manteau bleu sur l'épaule (voir p. 59).

gnian, gnian, gnian; dès que[1] Madame le veut, modeste auteur! Je vais l'accompagner.

LA COMTESSE : Prends ma guitare.

> *La comtesse, assise, tient le papier pour suivre. Suzanne est derrière son fauteuil, et prélude en regardant la musique par-dessus sa maîtresse. Le petit page est devant elle, les yeux baissés. Ce tableau est juste la belle estampe d'après Van Loo[2], appelée* La Conversation espagnole*.

ROMANCE

Air : « Marlbroug s'en va-t-en guerre[3]. *»*

Premier couplet

Mon coursier hors d'haleine,
(Que mon cœur, mon cœur a de peine!)
J'errais de plaine en plaine,
Au gré du destrier.

Deuxième couplet

Au gré du destrier,
Sans varlet, n'écuyer;
Là près d'une fontaine**,
(Que mon cœur, mon cœur a de peine!)
Songeant à ma marraine,
Sentais mes pleurs couler.

---

* Chérubin. La comtesse. Suzanne.
** Au spectacle, on a commencé la romance à ce vers en disant : *Auprès* d'une fontaine…
1. *Dès que* : puisque.
2. *La Conversation espagnole* : la gravure était de J. Beauvarlet (1769) d'après le tableau de Carle Van Loo (1755). Un exemplaire se trouve à la Bibliothèque Nationale.
3. L'air était ancien, mais la chanson datait de la première moitié du siècle : Marlborough était mort en 1722.

Troisième couplet

Sentais mes pleurs couler,
Prêt à me désoler ;
Je gravais sur un frêne
(Que mon cœur, mon cœur a de peine !)
Sa lettre sans la mienne ;
Le Roi vint à passer.

Quatrième couplet

Le Roi vint à passer,
Ses barons, son clergier.
« Beau page, dit la reine,
(Que mon cœur, mon cœur a de peine !)
Qui vous met à la gêne[1] ?
Qui vous fait tant plorer ?

Cinquième couplet

Qui vous fait tant plorer ?
Nous faut le déclarer.
— Madame et Souveraine,
(Que mon cœur, mon cœur a de peine !)
J'avais une marraine,
Que toujours adorai*.

Sixième couplet

Que toujours adorai :
Je sens que j'en mourrai.
— Beau page, dit la reine,
(Que mon cœur, mon cœur a de peine !)
N'est-il qu'une marraine ?
Je vous en servirai.

Septième couplet

Je vous en servirai ;
Mon page vous ferai ;

* Ici la comtesse arrête le page en fermant le papier. Le reste
ne se chante pas au théâtre.
1. Au sens fort du terme : à la torture.

Puis à ma jeune Hélène,
(Que mon cœur, mon cœur a de peine !)
Fille d'un capitaine,
Un jour vous marirai.

Huitième couplet

Un jour vous marirai.
— Nenni, n'en faut parler ;
Je veux, traînant ma chaîne,
(Que mon cœur, mon cœur a de peine !)
Mourir de cette peine ;
Mais non m'en consoler[1]. »

LA COMTESSE : Il y a de la naïveté... du sentiment même.

SUZANNE *va poser la guitare sur un fauteuil* * : Oh ! pour du sentiment, c'est un jeune homme qui... Ah çà ! monsieur l'officier, vous a-t-on dit que pour égayer la soirée[2], nous voulons savoir d'avance si un de mes habits vous ira passablement ?

LA COMTESSE : J'ai peur que non.

SUZANNE *se mesure avec lui* : Il est de ma grandeur. Ôtons d'abord le manteau. *(Elle le détache.)*

LA COMTESSE : Et si quelqu'un entrait ?

SUZANNE : Est-ce que nous faisons du mal donc ? Je vais fermer la porte ; *(elle court)* mais c'est la coiffure que je veux voir.

LA COMTESSE : Sur ma toilette, une baigneuse[3] à moi.

---

* Chérubin. Suzanne. La comtesse.
1. Comme on le voit, la chanson, écrite en « style marotique », retient quelques mots du français ancien : *destrier, varlet, clergier, plorer*, et, sur le plan syntaxique, n'exprime pas le pronom sujet.
2. Le vrai motif n'est pas révélé à Chérubin (voir la fin de la sc. II).
3. *Toilette* : ici, la table de toilette. *Baigneuse* : bonnet aux bords rabattus.

*Suzanne entre dans le cabinet dont la
porte est au bord du théâtre.*

SCÈNE V

CHÉRUBIN, LA COMTESSE, *assise.*

LA COMTESSE : Jusqu'à l'instant du bal le comte
ignorera que vous soyez au château. Nous lui
dirons après que le temps d'expédier[1] votre brevet nous a fait naître l'idée…

CHÉRUBIN *le lui montre* : Hélas ! Madame, le voici ;
Bazile me l'a remis de sa part.

LA COMTESSE : Déjà ? l'on a craint d'y perdre une
minute. *(Elle lit.)* Ils se sont tant pressés qu'ils ont
oublié d'y mettre son cachet.

Elle le lui rend.

SCÈNE VI

CHÉRUBIN, LA COMTESSE, SUZANNE

SUZANNE *entre avec un grand bonnet* : Le cachet, à
quoi ?

LA COMTESSE : À son brevet.

1. *Expédier un brevet* : le revêtir de toutes les formes nécessaires
pour le rendre valable, et en particulier lui mettre le cachet dont
il va être question.

SUZANNE : Déjà?

LA COMTESSE : C'est ce que je disais. Est-ce là ma baigneuse?

SUZANNE *s'assied près de la comtesse* * : Et la plus belle de toutes. *(Elle chante avec des épingles dans sa bouche :)*

> Tournez-vous donc envers ici,
> Jean de Lyra, mon bel ami.

(Chérubin se met à genoux. Elle le coiffe.) Madame, il est charmant!

LA COMTESSE : Arrange son collet, d'un air un peu plus féminin.

SUZANNE *l'arrange* : Là... mais voyez donc ce morveux, comme il est joli en fille! j'en suis jalouse, moi! *(Elle lui prend le menton.)* Voulez-vous bien n'être pas joli comme ça?

LA COMTESSE : Qu'elle est folle! Il faut relever la manche, afin que l'amadis[1] prenne mieux... *(Elle la retrousse.)* Qu'est-ce qu'il a donc au bras? un ruban!

SUZANNE : Et un ruban à vous. Je suis bien aise que Madame l'ait vu. Je lui avais dit que je le dirais, déjà! Oh! si Monseigneur n'était pas venu, j'aurais bien repris le ruban; car je suis presque aussi forte que lui.

LA COMTESSE : Il y a du sang! *(Elle détache le ruban.)*

---

* Chérubin. Suzanne. La comtesse.
1. *Amadis* : bout de manche qui se boutonne sur le poignet. Ainsi nommé parce qu'il est apparu pour la première fois dans *Amadis*, opéra de Quinault et de Lulli (1684).

CHÉRUBIN, *honteux* : Ce matin, comptant partir, j'arrangeais la gourmette de mon cheval ; il a donné de la tête, et la bossette m'a effleuré le bras.

LA COMTESSE : On n'a jamais mis un ruban…

SUZANNE : Et surtout un ruban volé. Voyons donc… ce que la bossette… la courbette… la cornette du cheval… Je n'entends rien à tous ces noms-là[1]. Ah ! qu'il a le bras blanc ! c'est comme une femme ! plus blanc que le mien ! regardez donc, Madame ! (*Elle les compare.*)

LA COMTESSE, *d'un ton glacé* : Occupez-vous plutôt de m'avoir du taffetas gommé, dans ma toilette.

> *Suzanne lui pousse la tête, en riant ; il*
> *tombe sur les deux mains. Elle entre dans le*
> *cabinet au bord du théâtre.*

SCÈNE VII

CHÉRUBIN *à genoux,* LA COMTESSE *assise.*

LA COMTESSE *reste un moment sans parler, les yeux sur son ruban. Chérubin la dévore de ses regards* : Pour mon ruban, monsieur… comme c'est celui dont la couleur m'agrée le plus… j'étais fort en colère de l'avoir perdu.

---

1. Suzanne n'y entend rien en effet. Elle utilise deux mots qui ont même consonance : mais *courbette* désigne, comme de nos jours, une figure de manège et *cornette* une sorte de coiffe.

SCÈNE VIII

CHÉRUBIN *à genoux,* LA COMTESSE *assise,*
SUZANNE

SUZANNE, *revenant* : Et la ligature à son bras ?

> *Elle remet à la comtesse du taffetas gommé
> et des ciseaux.*

LA COMTESSE : En allant lui chercher tes hardes[1],
prends le ruban d'un autre bonnet.

> *Suzanne sort par la porte du fond, en
> emportant le manteau du page.*

SCÈNE IX

CHÉRUBIN *à genoux,* LA COMTESSE *assise.*

CHÉRUBIN, *les yeux baissés* : Celui qui m'est ôté
m'aurait guéri en moins de rien.

LA COMTESSE : Par quelle vertu ? *(Lui montrant le
taffetas.)* Ceci vaut mieux.

CHÉRUBIN, *hésitant* : Quand un ruban… a serré la
tête… ou touché la peau d'une personne…

LA COMTESSE, *coupant la phrase* : … étrangère, il
devient bon pour les blessures ? J'ignorais cette
propriété. Pour l'éprouver, je garde celui-ci qui

---

1. *Hardes* : vêtements ; le mot n'a pas encore au XVIIIe siècle le
sens qu'il a de nos jours.

vous a serré le bras. À la première égratignure...
de mes femmes, j'en ferai l'essai.

CHÉRUBIN, *pénétré*: Vous le gardez, et moi, je
pars.

LA COMTESSE : Non pour toujours.

CHÉRUBIN : Je suis si malheureux !

LA COMTESSE, *émue*: Il pleure à présent ! c'est ce
vilain Figaro avec son pronostic !

CHÉRUBIN, *exalté*: Ah ! je voudrais toucher au
terme qu'il m'a prédit ! sûr de mourir à l'instant,
peut-être ma bouche oserait...

LA COMTESSE *l'interrompt et lui essuie les yeux avec
son mouchoir*: Taisez-vous, taisez-vous, enfant. Il
n'y a pas un brin de raison dans tout ce que vous
dites. *(On frappe à la porte, elle élève la voix.)* Qui
frappe ainsi chez moi ?

SCÈNE X

CHÉRUBIN, LA COMTESSE, LE COMTE,
en dehors.

LE COMTE, *en dehors*: Pourquoi donc enfermée ?

LA COMTESSE, *troublée, se lève*: C'est mon époux !
grands dieux !... *(À Chérubin qui s'est levé aussi :)*
Vous sans manteau, le col et les bras nus ! seul
avec moi ! cet air de désordre, un billet reçu, sa
jalousie !...

LE COMTE, *en dehors*: Vous n'ouvrez pas ?

LA COMTESSE : C'est que... je suis seule.

LE COMTE, *en dehors*: Seule ! Avec qui parlez-vous
donc ?

LA COMTESSE, *cherchant* : … Avec vous sans doute.

CHÉRUBIN, *à part* : Après les scènes d'hier, et de ce matin, il me tuerait sur la place !

> *Il court au cabinet de toilette, y entre, et tire la porte sur lui.*

SCÈNE XI

LA COMTESSE, *seule, en ôte la clef et court ouvrir au comte.*

Ah ! quelle faute ! quelle faute !

SCÈNE XII

LE COMTE, LA COMTESSE

LE COMTE, *un peu sévère* : Vous n'êtes pas dans l'usage de vous enfermer !

LA COMTESSE, *troublée* : Je… je chiffonnais… oui, je chiffonnais avec Suzanne ; elle est passée un moment chez elle.

LE COMTE *l'examine* : Vous avez l'air et le ton bien altérés !

LA COMTESSE : Cela n'est pas étonnant… pas étonnant du tout… je vous assure… nous parlions de vous… elle est passée, comme je vous dis…

LE COMTE : Vous parliez de moi !… Je suis ramené par l'inquiétude : en montant à cheval, un billet qu'on m'a remis, mais auquel je n'ajoute aucune foi, m'a... pourtant agité.

LA COMTESSE : Comment, monsieur?... quel billet?

LE COMTE : Il faut avouer, madame, que vous ou moi sommes entourés d'êtres... bien méchants! On me donne avis que dans la journée, quelqu'un que je crois absent doit chercher à vous entretenir.

LA COMTESSE : Quel que soit cet audacieux, il faudra qu'il pénètre ici; car mon projet est de ne pas quitter ma chambre de tout le jour.

LE COMTE : Ce soir, pour la noce de Suzanne?

LA COMTESSE : Pour rien au monde; je suis très incommodée.

LE COMTE : Heureusement le docteur est ici. *(Le page fait tomber une chaise dans le cabinet.)* Quel bruit entends-je?

LA COMTESSE, *plus troublée* : Du bruit?

LE COMTE : On a fait tomber un meuble.

LA COMTESSE : Je... je n'ai rien entendu, pour moi.

LE COMTE : Il faut que vous soyez furieusement préoccupée!

LA COMTESSE : Préoccupée! de quoi?

LE COMTE : Il y a quelqu'un dans ce cabinet, madame.

LA COMTESSE : Hé... qui voulez-vous qu'il y ait, monsieur?

LE COMTE : C'est moi qui vous le demande; j'arrive.

LA COMTESSE : Hé mais... Suzanne apparemment qui range.

LE COMTE : Vous avez dit qu'elle était passée chez elle !

LA COMTESSE : Passée... ou entrée là ; je ne sais lequel.

LE COMTE : Si c'est Suzanne, d'où vient le trouble où je vous vois ?

LA COMTESSE : Du trouble pour ma camariste ?

LE COMTE : Pour votre camariste, je ne sais ; mais pour du trouble, assurément.

LA COMTESSE : Assurément, monsieur, cette fille vous trouble, et vous occupe beaucoup plus que moi.

LE COMTE, *en colère* : Elle m'occupe à tel point, madame, que je veux la voir à l'instant.

LA COMTESSE : Je crois en effet, que vous le voulez souvent ; mais voilà bien les soupçons les moins fondés...

SCÈNE XIII

LE COMTE, LA COMTESSE ; SUZANNE *entre avec des hardes et pousse la porte du fond.*

LE COMTE : Ils en seront plus aisés à détruire. *(Il parle au cabinet.)* Sortez, Suzon ; je vous l'ordonne.

Suzanne s'arrête auprès de l'alcôve dans le fond.

LA COMTESSE : Elle est presque nue, monsieur ; vient-on troubler ainsi des femmes dans leur

retraite ? Elle essayait des hardes que je lui donne
en la mariant ; elle s'est enfuie quand elle vous a
entendu.

LE COMTE : Si elle craint tant de se montrer, au
moins elle peut parler. *(Il se tourne vers la porte du
cabinet.)* Répondez-moi, Suzanne ; êtes-vous dans
ce cabinet ?

> *Suzanne, restée au fond, se jette dans
> l'alcôve et s'y cache.*

LA COMTESSE, *vivement, parlant au cabinet* : Suzon,
je vous défends de répondre. *(Au comte :)* On n'a
jamais poussé si loin la tyrannie !

LE COMTE *s'avance au cabinet* : Oh ! bien, puisqu'elle ne parle pas, vêtue ou non, je la verrai.

LA COMTESSE *se met au-devant* : Partout ailleurs je
ne puis l'empêcher ; mais j'espère aussi que chez
moi...

LE COMTE : Et moi j'espère savoir dans un
moment[1] quelle est cette Suzanne mystérieuse.
Vous demander la clef serait, je le vois, inutile !
mais il est un moyen sûr de jeter en dedans cette
légère porte. Holà ! quelqu'un !

LA COMTESSE : Attirer vos gens, et faire un scandale public d'un soupçon qui nous rendrait la
fable du château ?

LE COMTE : Fort bien, madame ; en effet, j'y suffi-
rai ; je vais à l'instant prendre chez moi ce qu'il
faut... *(Il marche pour sortir et revient.)* Mais pour
que tout reste au même état, voudrez-vous bien
m'accompagner sans scandale et sans bruit, puis-

---

1. Dans un instant, très vite.

qu'il[1] vous déplaît tant?... une chose aussi simple, apparemment, ne me sera pas refusée !

LA COMTESSE, *troublée* : Eh ! monsieur, qui songe à vous contrarier ?

LE COMTE : Ah ! j'oubliais la porte qui va chez vos femmes ; il faut que je la ferme aussi, pour que vous soyez pleinement justifiée.

> *Il va fermer la porte du fond et en ôte la clef.*

LA COMTESSE, *à part* : Ô Ciel ! étourderie funeste !

LE COMTE, *revenant à elle* : Maintenant que cette chambre est close, acceptez mon bras, je vous prie ; *(il élève la voix)* et quant à la Suzanne du cabinet, il faudra qu'elle ait la bonté de m'attendre, et le moindre mal qui puisse lui arriver à mon retour...

LA COMTESSE : En vérité, monsieur, voilà bien la plus odieuse aventure...

> *Le comte l'emmène et ferme la porte à la clef.*

SCÈNE XIV

SUZANNE, CHÉRUBIN

SUZANNE *sort de l'alcôve, accourt au cabinet et parle à la serrure* : Ouvrez, Chérubin, ouvrez vite, c'est Suzanne ; ouvrez et sortez.

---

1. Puisque cela (le scandale et le bruit)...

CHÉRUBIN *sort* * : Ah ! Suzon, quelle horrible scène !

SUZANNE : Sortez, vous n'avez pas une minute.

CHÉRUBIN, *effrayé* : Eh ! par où sortir ?

SUZANNE : Je n'en sais rien, mais sortez.

CHÉRUBIN : S'il n'y a pas d'issue ?

SUZANNE : Après la rencontre de tantôt, il vous écraserait, et nous serions perdues. Courez conter à Figaro...

CHÉRUBIN : La fenêtre du jardin n'est peut-être pas bien haute. *(Il court y regarder.)*

SUZANNE, *avec effroi* : Un grand étage ! impossible ! Ah ! ma pauvre maîtresse ! Et mon mariage, ô Ciel !

CHÉRUBIN *revient* : Elle donne sur la melonnière ; quitte à gâter une couche ou deux...

SUZANNE *le retient et s'écrie* : Il va se tuer !

CHÉRUBIN, *exalté* : Dans un gouffre allumé, Suzon ! oui, je m'y jetterais, plutôt que de lui nuire... Et ce baiser va me porter bonheur.

> *Il l'embrasse et court sauter par la fenêtre.*

SCÈNE XV

SUZANNE, *seule, un cri de frayeur.*

Ah !... *(Elle tombe assise un moment. Elle va péniblement regarder à la fenêtre et revient.)* Il est déjà bien loin. Oh ! le petit garnement ! aussi leste que joli !

---

* Chérubin. Suzanne.

si celui-là manque de femmes… Prenons sa place au plus tôt. *(En entrant dans le cabinet.)* Vous pouvez à présent, monsieur le comte, rompre la cloison, si cela vous amuse ; au diantre qui répond un mot !

Elle s'y enferme.

SCÈNE XVI

LE COMTE, LA COMTESSE *rentrent dans la chambre.*

LE COMTE, *une pince à la main, qu'il jette sur le fauteuil* : Tout est bien comme je l'ai laissé. Madame, en m'exposant à briser cette porte, réfléchissez aux suites : encore une fois, voulez-vous l'ouvrir ?

LA COMTESSE : Eh, monsieur, quelle horrible humeur peut altérer ainsi les égards entre deux époux ? Si l'amour vous dominait au point de vous inspirer ces fureurs, malgré leur déraison je les excuserais ; j'oublierais peut-être, en faveur du motif, ce qu'elles ont d'offensant pour moi. Mais la seule vanité peut-elle jeter dans cet excès un galant homme ?

LE COMTE : Amour ou vanité, vous ouvrirez la porte ; ou je vais à l'instant…

LA COMTESSE, *au-devant* : Arrêtez, monsieur, je vous prie. Me croyez-vous capable de manquer à ce que je me dois ?

LE COMTE : Tout ce qu'il vous plaira, madame ; mais je verrai qui est dans ce cabinet.

LA COMTESSE, *effrayée* : Eh bien, monsieur, vous le verrez. Écoutez-moi… tranquillement.

LE COMTE : Ce n'est donc pas Suzanne ?

LA COMTESSE, *timidement* : Au moins n'est-ce pas non plus une personne… dont vous deviez rien redouter… Nous disposions une plaisanterie… bien innocente en vérité, pour ce soir… et je vous jure…

LE COMTE : Et vous me jurez ?

LA COMTESSE : Que nous n'avions pas plus de dessein de vous offenser l'un que l'autre.

LE COMTE, *vite* : L'un que l'autre ? c'est un homme ?

LA COMTESSE : Un enfant, monsieur.

LE COMTE : Hé qui donc ?

LA COMTESSE : À peine osé-je le nommer !

LE COMTE, *furieux* : Je le tuerai.

LA COMTESSE : Grands dieux !

LE COMTE : Parlez donc !

LA COMTESSE : Ce jeune… Chérubin…

LE COMTE : Chérubin ! l'insolent ! voilà mes soupçons et le billet expliqués.

LA COMTESSE, *joignant les mains* : Ah ! monsieur, gardez de penser…

LE COMTE, *frappant du pied* : *(À part.)* Je trouverai partout ce maudit page ! *(Haut.)* Allons, madame, ouvrez ; je sais tout maintenant. Vous n'auriez pas été si émue en le congédiant ce matin, il serait parti quand je l'ai ordonné, vous n'auriez pas mis tant de fausseté dans votre conte de Suzanne, il ne se serait pas si soigneusement caché, s'il n'y avait rien de criminel.

LA COMTESSE : Il a craint de vous irriter en se montrant.

LE COMTE, *hors de lui, crie au cabinet* : Sors donc, petit malheureux !

LA COMTESSE *le prend à bras-le-corps, en l'éloignant* : Ah ! monsieur, monsieur, votre colère me fait trembler pour lui. N'en croyez pas un injuste soupçon, de grâce ; et que le désordre où vous l'allez trouver…

LE COMTE : Du désordre !

LA COMTESSE : Hélas oui ; prêt à s'habiller en femme, une coiffure à moi sur la tête, en veste et sans manteau, le col ouvert, les bras nus ; il allait essayer…

LE COMTE : Et vous vouliez garder votre chambre ! Indigne épouse ! ah ! vous la garderez… long-temps ; mais il faut avant que j'en chasse un inso-lent, de manière à ne plus le rencontrer nulle part.

LA COMTESSE *se jette à genoux, les bras élevés* : Mon-sieur le comte, épargnez un enfant ; je ne me consolerais pas d'avoir causé…

LE COMTE : Vos frayeurs aggravent son crime.

LA COMTESSE : Il n'est pas coupable, il partait : c'est moi qui l'ai fait appeler.

LE COMTE, *furieux* : Levez-vous. Ôtez-vous… Tu es bien audacieuse d'oser me parler pour un autre !

LA COMTESSE : Eh bien ! je m'ôterai, monsieur, je me lèverai ; je vous remettrai même la clef du cabinet : mais, au nom de votre amour…

LE COMTE : De mon amour ! Perfide !

LA COMTESSE *se lève et lui présente la clef* : Pro-mettez-moi que vous laisserez aller cet enfant sans lui faire aucun mal ; et puisse après tout votre courroux tomber sur moi ; si je ne vous convaincs pas...

LE COMTE, *prenant la clef* : Je n'écoute plus rien.

LA COMTESSE *se jette sur une bergère, un mouchoir sur les yeux* : Oh ! Ciel ! il va périr.

LE COMTE *ouvre la porte et recule* : C'est Suzanne !

SCÈNE XVII

LA COMTESSE, LE COMTE, SUZANNE

SUZANNE *sort en riant* : « Je le tuerai, je le tuerai. » Tuez-le donc, ce méchant page !

LE COMTE, *à part* : Ah ! quelle école[1] ! (*Regardant la comtesse qui est restée stupéfaite.*) Et vous aussi, vous jouez l'étonnement ?... Mais peut-être elle n'y est pas seule.

Il entre.

SCÈNE XVIII

LA COMTESSE *assise*, SUZANNE

SUZANNE *accourt à sa maîtresse* : Remettez-vous, madame, il est bien loin, il a fait un saut...

LA COMTESSE : Ah, Suzon, je suis morte.

---

1. *Quelle école !* : quelle sottise (j'ai faite) ! Encore un mot emprunté au jeu de trictrac, le mot *école* y désignant une faute commise par un des joueurs dans le marquage des points gagnés.

SCÈNE XIX

LA COMTESSE *assise,* SUZANNE, LE COMTE

LE COMTE *sort du cabinet d'un air confus. Après un court silence* : Il n'y a personne, et pour le coup j'ai tort. Madame… vous jouez fort bien la comédie.

SUZANNE, *gaiement* : Et moi, Monseigneur ?

> *La comtesse, son mouchoir sur sa bouche pour se remettre, ne parle pas* *.

LE COMTE *s'approche* : Quoi, madame, vous plaisantiez ?

LA COMTESSE, *se remettant un peu* : Eh ! pourquoi non, monsieur ?

LE COMTE : Quel affreux badinage ! et par quel motif, je vous prie ?…

LA COMTESSE : Vos folies méritent-elles de la pitié ?

LE COMTE : Nommer folies ce qui touche à l'honneur !

LA COMTESSE, *assurant son ton par degrés* : Me suis-je unie à vous pour être éternellement dévouée[1] à l'abandon et à la jalousie, que vous seul osez concilier ?

LE COMTE : Ah ! madame, c'est sans ménagement[2].

---

* Suzanne. La comtesse, assise. Le Comte.
1. *Dévouée* : vouée.
2. Le sens est peu clair. Plutôt que « c'est sans calcul », nous comprenons : « Vous ne me ménagez pas [en parlant ainsi]. »

SUZANNE : Madame n'avait qu'à vous laisser appeler les gens.

LE COMTE : Tu as raison, et c'est à moi de m'humilier… Pardon, je suis d'une confusion !…

SUZANNE : Avouez, Monseigneur, que vous la méritez un peu !

LE COMTE : Pourquoi donc ne sortais-tu pas lorsque je t'appelais ? Mauvaise !

SUZANNE : Je me rhabillais de mon mieux, à grand renfort d'épingles, et Madame qui me le défendait avait bien ses raisons pour le faire.

LE COMTE : Au lieu de rappeler mes torts, aide-moi plutôt à l'apaiser.

LA COMTESSE : Non, monsieur ; un pareil ouvrage ne se couvre point[1]. Je vais me retirer aux Ursulines[2], et je vois trop qu'il en est temps.

LE COMTE : Le pourriez-vous sans quelques regrets ?

SUZANNE : Je suis sûre, moi, que le jour du départ serait la veille des larmes.

LA COMTESSE : Eh ! quand cela serait, Suzon ? j'aime mieux le regretter que d'avoir la bassesse de lui pardonner ; il m'a trop offensée.

LE COMTE : Rosine !…

LA COMTESSE : Je ne la suis plus, cette Rosine que vous avez tant poursuivie ! Je suis la pauvre comtesse Almaviva, la triste femme délaissée, que vous n'aimez plus.

SUZANNE : Madame !

LE COMTE, *suppliant* : Par pitié !

---

1. *Ne se couvre point* : ne peut s'excuser.
2. Voir la Préface, p. 51 et n. 1.

LA COMTESSE : Vous n'en aviez aucune pour moi.

LE COMTE : Mais aussi ce billet... Il m'a tourné le sang !

LA COMTESSE : Je n'avais pas consenti qu'on l'écrivît.

LE COMTE : Vous le saviez ?

LA COMTESSE : C'est cet étourdi de Figaro...

LE COMTE : Il en était ?

LA COMTESSE : ... qui l'a remis à Bazile.

LE COMTE : Qui m'a dit le tenir d'un paysan. Ô perfide chanteur ! lame à deux tranchants ! c'est toi qui payeras pour tout le monde.

LA COMTESSE : Vous demandez pour vous un pardon que vous refusez aux autres : voilà bien les hommes ! Ah ! si jamais je consentais à pardonner en faveur de[1] l'erreur où vous a jeté ce billet, j'exigerais que l'amnistie fût générale.

LE COMTE : Eh bien ! de tout mon cœur, comtesse. Mais comment réparer une faute aussi humiliante ?

LA COMTESSE *se lève* : Elle l'était pour tous deux.

LE COMTE : Ah ! dites pour moi seul. Mais je suis encore à concevoir comment les femmes prennent si vite et si juste l'air et le ton des circonstances. Vous rougissiez, vous pleuriez, votre visage était défait... D'honneur il l'est encore.

LA COMTESSE, *s'efforçant de sourire* : Je rougissais... du ressentiment de vos soupçons[2]. Mais les hommes sont-ils assez délicats pour distin-

---

1. *En faveur de* : en considération de.
2. Le ressentiment que m'inspiraient vos soupçons me faisait rougir.

guer l'indignation d'une âme honnête outragée, d'avec la confusion qui naît d'une accusation méritée ?

LE COMTE, *souriant* : Et ce page en désordre, en veste et presque nu…

LA COMTESSE, *montrant Suzanne* : Vous le voyez devant vous. N'aimez-vous pas mieux l'avoir trouvé que l'autre ? en général, vous ne haïssez pas de rencontrer celui-ci.

LE COMTE, *riant plus fort* : Et ces prières, ces larmes feintes…

LA COMTESSE : Vous me faites rire, et j'en ai peu d'envie.

LE COMTE : Nous croyons valoir quelque chose en politique, et nous ne sommes que des enfants. C'est vous, c'est vous, madame, que le roi devrait envoyer en ambassade à Londres ! Il faut que votre sexe ait fait une étude bien réfléchie de l'art de se composer pour réussir à ce point !

LA COMTESSE : C'est toujours vous qui nous y forcez.

SUZANNE : Laissez-nous prisonniers sur parole, et vous verrez si nous sommes gens d'honneur.

LA COMTESSE : Brisons là, monsieur le comte. J'ai peut-être été trop loin ; mais mon indulgence en un cas aussi grave doit au moins m'obtenir la vôtre.

LE COMTE : Mais vous répéterez que vous me pardonnez.

LA COMTESSE : Est-ce que je l'ai dit, Suzon ?

SUZANNE : Je ne l'ai pas entendu, madame.

LE COMTE : Eh bien ! que ce mot vous échappe.

LA COMTESSE : Le méritez-vous, ingrat ?

LE COMTE : Oui, par mon repentir.

SUZANNE : Soupçonner un homme dans le cabi-net de Madame !

LE COMTE : Elle m'en a si sévèrement puni !

SUZANNE : Ne pas s'en fier à elle quand elle dit que c'est sa camariste !

LE COMTE : Rosine, êtes-vous donc implacable ?

LA COMTESSE : Ah ! Suzon ! que je suis faible ! quel exemple je te donne ! *(Tendant la main au comte.)* On ne croira plus à la colère des femmes.

SUZANNE : Bon ! madame, avec eux ne faut-il pas toujours en venir là ?

> *Le comte baise ardemment la main de sa femme.*

SCÈNE XX

SUZANNE, FIGARO, LA COMTESSE, LE COMTE

FIGARO, *arrivant tout essoufflé* : On disait Madame incommodée. Je suis vite accouru... je vois avec joie qu'il n'en est rien.

LE COMTE, *sèchement* : Vous êtes fort attentif[1] !

FIGARO : Et c'est mon devoir. Mais puisqu'il n'en est rien, Monseigneur, tous vos jeunes vassaux des deux sexes sont en bas avec les violons et les cornemuses, attendant, pour m'accompagner, l'instant où vous permettrez que je mène ma fiancée...

---

1. *Attentif* : plein d'attentions.

LE COMTE : Et qui surveillera la comtesse au château ?

FIGARO : La veiller ! elle n'est pas malade.

LE COMTE : Non ; mais cet homme absent qui
doit l'entretenir ?

FIGARO : Quel homme absent ?

LE COMTE : L'homme du billet que vous avez
remis à Bazile.

FIGARO : Qui dit cela ?

LE COMTE : Quand je ne le saurais pas d'ailleurs,
fripon ! ta physionomie qui t'accuse me prouve-
rait déjà que tu mens.

FIGARO : S'il en est ainsi, ce n'est pas moi qui
mens, c'est ma physionomie.

SUZANNE : Va, mon pauvre Figaro, n'use pas ton
éloquence en défaites[1] ; nous avons tout dit.

FIGARO : Et quoi dit ? vous me traitez comme un
Bazile !

SUZANNE : Que tu avais écrit le billet de tantôt
pour faire accroire à Monseigneur, quand il entre-
rait, que le petit page était dans ce cabinet où je
me suis enfermée.

LE COMTE : Qu'as-tu à répondre ?

LA COMTESSE : Il n'y a plus rien à cacher, Figaro ;
le badinage est consommé.

FIGARO, *cherchant à deviner* : Le badinage… est
consommé ?

LE COMTE : Oui, consommé. Que dis-tu là-dessus ?

FIGARO : Moi ! je dis… que je voudrais bien qu'on
en pût dire autant de mon mariage ; et si vous
l'ordonnez…

---

1. *Défaites* : mauvaises excuses.

LE COMTE : Tu conviens donc enfin du billet ?

FIGARO : Puisque Madame le veut, que Suzanne le veut, que vous le voulez vous-même, il faut bien que je le veuille aussi : mais à votre place, en vérité, Monseigneur, je ne croirais pas un mot de tout ce que nous vous disons.

LE COMTE : Toujours mentir contre l'évidence ! à la fin cela m'irrite.

LA COMTESSE, *en riant* : Eh, ce pauvre garçon ! pourquoi voulez-vous, monsieur, qu'il dise une fois la vérité ?

FIGARO, *bas à Suzanne* : Je l'avertis de son danger ; c'est tout ce qu'un honnête homme peut faire.

SUZANNE, *bas* : As-tu vu le petit page ?

FIGARO, *bas* : Encore tout froissé[1].

SUZANNE, *bas* : Ah, pécaïre[2] !

LA COMTESSE : Allons, monsieur le comte, ils brûlent de s'unir : leur impatience est naturelle ! entrons pour la cérémonie.

LE COMTE, *à part* : Et Marceline, Marceline… *(Haut.)* Je voudrais être… au moins vêtu.

LA COMTESSE : Pour nos gens ! Est-ce que je le suis ?

---

1. Le mot a un sens plus large que de nos jours. « Meurtrir par une impression violente : *Il s'est froissé tout le corps en tombant* » (*Académie*).
2. Ce mot provençal est probablement un souvenir du séjour à Aix (1778). Voir acte V, sc. VIII *(qu'es aquo)*.

SCÈNE XXI

FIGARO, SUZANNE, LA COMTESSE, LE COMTE,
ANTONIO

ANTONIO, *demi-gris, tenant un pot de giroflées écra-sées* : Monseigneur ! Monseigneur !

LE COMTE : Que me veux-tu, Antonio ?

ANTONIO : Faites donc une fois[1] griller les croisées qui donnent sur mes couches. On jette toutes sortes de choses par ces fenêtres ; et tout à l'heure encore on vient d'en jeter un homme.

LE COMTE : Par ces fenêtres ?

ANTONIO : Regardez comme on arrange mes giroflées !

SUZANNE, *bas à Figaro* : Alerte, Figaro ! alerte.

FIGARO : Monseigneur, il est gris dès le matin.

ANTONIO : Vous n'y êtes pas. C'est un petit reste d'hier. Voilà comme on fait des jugements... ténébreux[2].

LE COMTE, *avec feu* : Cet homme ! cet homme ! où est-il ?

ANTONIO : Où il est ?

LE COMTE : Oui.

ANTONIO : C'est ce que je dis. Il faut me le trouver déjà. Je suis votre domestique ; il n'y a que moi qui prends soin de votre jardin ; il y tombe un

---

1. Une fois pour toutes, une bonne fois.
2. On attendait évidemment *téméraires*.

homme, et vous sentez... que ma réputation en est effleurée[1].

SUZANNE, *bas à Figaro* : Détourne, détourne.

FIGARO : Tu boiras donc toujours ?

ANTONIO : Et si je ne buvais pas, je deviendrais enragé.

LA COMTESSE : Mais en prendre ainsi sans besoin...

ANTONIO : Boire sans soif et faire l'amour en tout temps, madame, il n'y a que ça qui nous distingue des autres bêtes.

LE COMTE, *vivement* : Réponds-moi donc ou je vais te chasser.

ANTONIO : Est-ce que je m'en irais ?

LE COMTE : Comment donc ?

ANTONIO, *se touchant le front* : Si vous n'avez pas assez de ça pour garder un bon domestique, je ne suis pas assez bête, moi, pour renvoyer un si bon maître.

LE COMTE *le secoue avec colère* : On a, dis-tu, jeté un homme par cette fenêtre ?

ANTONIO : Oui, Mon Excellence ; tout à l'heure, en veste blanche, et qui s'est enfui, jarni[2], courant...

LE COMTE, *impatienté* : Après ?

ANTONIO : J'ai bien voulu courir après ; mais je me suis donné contre la grille une si fière gourde[3] à la main que je ne peux plus remuer ni pied ni patte de ce doigt-là.

---

1. *Effleurer* est un terme de fleuriste : enlever les fleurs ; dans ce contexte, sans doute y a-t-il jeu de mots.
2. *Jarni* : juron paysan pour « je renie ».
3. *Gourde* : probablement une bosse résultant d'un coup. Le mot n'est pas dans les dictionnaires de l'époque.

Levant le doigt.

LE COMTE : Au moins tu reconnaîtrais l'homme ?

ANTONIO : Oh ! que oui-da !... si je l'avais vu pourtant !

SUZANNE, *bas à Figaro* : Il ne l'a pas vu.

FIGARO : Voilà bien du train pour un pot de fleurs ! combien te faut-il, pleurard ! avec ta giro-flée ? Il est inutile de chercher, Monseigneur, c'est moi qui ai sauté.

LE COMTE : Comment ? c'est vous !

ANTONIO : « Combien te faut-il, pleurard ? » Votre corps a donc bien grandi depuis ce temps-là ? car je vous ai trouvé beaucoup plus moindre et plus fluet !

FIGARO : Certainement ; quand on saute, on se pelotonne[1]...

ANTONIO : M'est avis que c'était plutôt... qui dirait, le gringalet de page.

LE COMTE : Chérubin, tu veux dire ?

FIGARO : Oui, revenu tout exprès avec son che-val, de la porte de Séville, où peut-être il est déjà.

ANTONIO : Oh ! non, je ne dis pas ça, je ne dis pas ça ; je n'ai pas vu sauter de cheval, car je le dirais de même.

LE COMTE : Quelle patience !

FIGARO : J'étais dans la chambre des femmes en veste blanche : il fait un chaud !... J'attendais là

---

1. Ce verbe sera repris par Antonio (acte IV, sc. VI). C'est un des premiers emplois que nous en ayons avec ce sens nouveau. Le mot se disait jusque-là d'une troupe de personnes qui se mettent « en peloton ».

ma Suzannette, quand j'ai ouï tout à coup la voix de Monseigneur et le grand bruit qui se faisait : je ne sais quelle crainte m'a saisi à l'occasion de ce billet ; et s'il faut avouer ma bêtise, j'ai sauté sans réflexion sur les couches, où je me suis même un peu foulé le pied droit.

Il frotte son pied.

ANTONIO : Puisque c'est vous, il est juste de vous rendre ce brimborion de papier qui a coulé[1] de votre veste en tombant.

LE COMTE *se jette dessus* : Donne-le-moi.

Il ouvre le papier et le referme.

FIGARO, *à part* : Je suis pris.

LE COMTE, *à Figaro* : La frayeur ne vous aura pas fait oublier ce que contient ce papier, ni comment il se trouvait dans votre poche ?

FIGARO, *embarrassé, fouille dans ses poches et en tire des papiers* : Non sûrement... Mais c'est que j'en ai tant. Il faut répondre à tout... *(Il regarde un des papiers.)* Ceci ? ah ! c'est une lettre de Marceline, en quatre pages ; elle est belle !... Ne serait-ce pas la requête de ce pauvre braconnier en prison ?... non, la voici... J'avais l'état des meubles du petit château dans l'autre poche...

Le comte rouvre le papier qu'il tient.

LA COMTESSE, *bas à Suzanne* : Ah dieux ! Suzon. C'est le brevet d'officier.

---

1. *Couler* : pour les objets, glisser, s'échapper.

SUZANNE, *bas à Figaro* : Tout est perdu, c'est le brevet.

LE COMTE *replie le papier* : Eh bien ! l'homme aux expédients, vous ne devinez pas ?

ANTONIO, *s'approchant de Figaro** : Monseigneur dit si vous ne devinez pas !

FIGARO *le repousse* : Fi donc ! vilain, qui me parle dans le nez !

LE COMTE : Vous ne vous rappelez pas ce que ce peut être ?

FIGARO : A, a, a, ah ! *Povero*[1] ! ce sera le brevet de ce malheureux enfant, qu'il m'avait remis et que j'ai oublié de lui rendre. O, o, o, oh ! étourdi que je suis ! que fera-t-il sans son brevet ? Il faut courir...

LE COMTE : Pourquoi vous l'aurait-il remis ?

FIGARO, *embarrassé* : Il... désirait qu'on y fît quelque chose.

LE COMTE *regarde son papier* : Il n'y manque rien.

LA COMTESSE, *bas à Suzanne* : Le cachet.

SUZANNE, *bas à Figaro* : Le cachet manque.

LE COMTE, *à Figaro* : Vous ne répondez pas ?

FIGARO : C'est... qu'en effet il y manque peu de chose. Il dit que c'est l'usage...

LE COMTE : L'usage ! l'usage ! l'usage de quoi ?

FIGARO : D'y apposer le sceau de vos armes. Peut-être aussi que cela ne valait pas la peine.

LE COMTE *rouvre le papier et le chiffonne de colère* : Allons, il est écrit que je ne saurai rien. *(À part.)*

---

* Antonio. Figaro. Suzanne. La comtesse. Le comte.
1. Il faut comprendre ici : pauvre de moi !

C'est ce Figaro qui les mène et je ne m'en venge-
rais pas !

> *Il veut sortir avec dépit.*

FIGARO, *l'arrêtant* : Vous sortez sans ordonner
mon mariage ?

SCÈNE XXII

BAZILE, BARTHOLO, MARCELINE, FIGARO,
LE COMTE, GRIPPE-SOLEIL, LA COMTESSE,
SUZANNE, ANTONIO ; VALETS DU COMTE,
SES VASSAUX

MARCELINE, *au comte* : Ne l'ordonnez pas, Monseigneur ! Avant de lui faire grâce[1], vous nous
devez justice. Il a des engagements avec moi.

LE COMTE, *à part* : Voilà ma vengeance arrivée.

FIGARO : Des engagements ! de quelle nature ?
Expliquez-vous.

MARCELINE : Oui, je m'expliquerai, malhonnête !

> *La comtesse s'assied sur une bergère.*
> *Suzanne est derrière elle.*

LE COMTE : De quoi s'agit-il, Marceline ?

MARCELINE : D'une obligation de mariage.

FIGARO : Un billet, voilà tout, pour de l'argent
prêté.

---

1. *Faire grâce à quelqu'un* : lui accorder ce qu'il désire et qui est
au-delà du droit. Le mot s'oppose ici à « justice » et « engagements ».

MARCELINE, *au comte* : Sous condition de m'épouser. Vous êtes un grand seigneur, le premier juge de la province...

LE COMTE : Présentez-vous au tribunal ; j'y rendrai justice à tout le monde.

BAZILE, *montrant Marceline* : En ce cas, Votre Grandeur permet que je fasse aussi valoir mes droits sur Marceline ?

LE COMTE, *à part* : Ah ! voilà mon fripon du billet.

FIGARO : Autre fou de la même espèce !

LE COMTE, *en colère, à Bazile* : Vos droits ! vos droits ! Il vous convient bien de parler devant moi, maître sot !

ANTONIO, *frappant dans sa main* : Il ne l'a, ma foi, pas manqué du premier coup : c'est son nom.

LE COMTE : Marceline, on suspendra tout jusqu'à l'examen de vos titres, qui se fera publiquement dans la grand-salle d'audience. Honnête Bazile ! agent fidèle et sûr ! allez au bourg chercher les gens du Siège[1].

BAZILE : Pour son affaire ?

LE COMTE : Et vous m'amènerez le paysan du billet.

BAZILE : Est-ce que je le connais ?

LE COMTE : Vous résistez !

BAZILE : Je ne suis pas entré au château pour en faire les commissions.

LE COMTE : Quoi donc ?

BAZILE : Homme à talent sur l'orgue du village, je montre le clavecin à Madame, à chanter à ses

---

1. C'est-à-dire les gens de justice. Le *Siège* est le corps des juges subalternes.

femmes, la mandoline aux pages ; et mon emploi surtout est d'amuser votre compagnie avec ma guitare, quand il vous plaît de l'ordonner.

GRIPPE-SOLEIL *s'avance* : J'irai bien, Monsigneu, si cela vous plaira.

LE COMTE : Quel est ton nom, et ton emploi ?

GRIPPE-SOLEIL : Je suis Grippe-Soleil, mon bon Signeu ; le petit patouriau des chèvres, commandé pour le feu d'artifice. C'est fête aujourd'hui dans le troupiau ; et je sais oùs-ce qu'est toute l'enragée boutique à procès du pays.

LE COMTE : Ton zèle me plaît ; vas-y : mais vous, *(à Bazile)* accompagnez Monsieur en jouant de la guitare, et chantant pour l'amuser en chemin. Il est de ma compagnie.

GRIPPE-SOLEIL, *joyeux* : Oh ! moi, je suis de la… ?

> *Suzanne l'apaise de la main, en lui montrant la comtesse.*

BAZILE, *surpris* : Que j'accompagne Grippe-Soleil en jouant ?…

LE COMTE : C'est votre emploi. Partez, ou je vous chasse.

Il sort.

SCÈNE XXIII

LES ACTEURS PRÉCÉDENTS, *excepté*
LE COMTE

BAZILE, *à lui-même* : Ah ! je n'irai pas lutter contre le pot de fer, moi qui ne suis...

FIGARO : Qu'une cruche.

BAZILE, *à part* : Au lieu d'aider à leur mariage, je m'en vais assurer le mien avec Marceline. *(À Figaro :)* Ne conclus rien, crois-moi, que je ne sois de retour.

> *Il va prendre la guitare sur le fauteuil du fond.*

FIGARO *le suit* : Conclure ! oh ! va, ne crains rien ; quand même tu ne reviendrais jamais... Tu n'as pas l'air en train de chanter[1] ; veux-tu que je commence ?... allons gai, haut, la-mi-la[2], pour ma fiancée.

> *Il se met en marche à reculons, danse en chantant la séguedille suivante. Bazile accompagne, et tout le monde le suit.*

---

1. Tu n'as pas l'air en train, en bonnes dispositions pour chanter.
2. Cette expression équivaut à un ordre : « Musique ! » L'énoncé *la-mi-la*, qui désignait la tonalité de *la*, se prêtait aussi à toutes sortes de fantaisies verbales.

SÉGUEDILLE :

Air noté.

Je préfère à richesse,
        La sagesse
        De ma Suzon ;
        Zon, zon, zon,
        Zon, zon, zon,
        Zon, zon, zon,
        Zon, zon, zon.
Aussi sa gentillesse
        Est maîtresse
        De ma raison ;
        Zon, zon, zon,
        Zon, zon, zon,
        Zon, zon, zon,
        Zon, zon, zon.

Le bruit s'éloigne, on n'entend pas le reste.

SCÈNE XXIV

SUZANNE, LA COMTESSE

LA COMTESSE, *dans sa bergère* : Vous voyez, Suzanne, la jolie scène que votre étourdi m'a value avec son billet.

SUZANNE : Ah ! madame, quand je suis rentrée du cabinet, si vous aviez vu votre visage ! il s'est terni tout à coup ; mais ce n'a été qu'un nuage ; et par degrés vous êtes devenue rouge, rouge, rouge !

LA COMTESSE : Il a donc sauté par la fenêtre ?

SUZANNE : Sans hésiter, le charmant enfant ! léger... comme une abeille !

LA COMTESSE : Ah ! ce fatal jardinier ! Tout cela m'a remuée au point... que je ne pouvais rassembler deux idées.

SUZANNE : Ah ! madame, au contraire ; et c'est là que j'ai vu combien l'usage du grand monde donne d'aisance aux dames comme il faut, pour mentir sans qu'il y paraisse.

LA COMTESSE : Crois-tu que le comte en soit la dupe ? et s'il trouvait cet enfant au château !

SUZANNE : Je vais recommander de le cacher si bien...

LA COMTESSE : Il faut qu'il parte. Après ce qui vient d'arriver, vous croyez bien que je ne suis pas tentée de l'envoyer au jardin à votre place.

SUZANNE : Il est certain que je n'irai pas non plus. Voilà donc mon mariage encore une fois...

LA COMTESSE *se lève* : Attends... Au lieu d'un autre ou de toi, si j'y allais moi-même ?

SUZANNE : Vous, madame ?

LA COMTESSE : Il n'y aurait personne d'exposé... Le comte alors ne pourrait nier... Avoir puni sa jalousie et lui prouver son infidélité, cela serait... Allons : le bonheur d'un premier hasard[1] m'enhardit à tenter le second. Fais-lui savoir promptement que tu te rendras au jardin. Mais surtout que personne...

SUZANNE : Ah ! Figaro.

---

1. L'issue heureuse d'une première aventure périlleuse. *Hasard* ici est pris au sens de « péril », « risque ».

LA COMTESSE : Non, non. Il voudrait mettre ici du sien. Mon masque de velours[1] et ma canne ; que j'aille y rêver sur la terrasse.

Suzanne entre dans le cabinet de toilette.

SCÈNE XXV

LA COMTESSE, *seule.*

Il est assez effronté, mon petit projet ! *(Elle se retourne.)* Ah ! le ruban ! mon joli ruban ! je t'oubliais ! *(Elle le prend sur sa bergère et le roule.)* Tu ne me quitteras plus... tu me rappelleras la scène où ce malheureux enfant... Ah ! monsieur le comte, qu'avez-vous fait ?... Et moi, que fais-je en ce moment ?...

SCÈNE XXVI

LA COMTESSE, SUZANNE
(La comtesse met furtivement le ruban dans son sein.)

SUZANNE : Voici la canne et votre loup.
LA COMTESSE : Souviens-toi que je t'ai défendu d'en dire un mot à Figaro.

---

1. Suzanne dira : «votre loup». Les dames portaient ce masque de velours noir qui couvrait tout le visage pour se préserver du hâle.

SUZANNE, *avec joie* : Madame, il est charmant votre projet. Je viens d'y réfléchir. Il rapproche tout, termine tout, embrasse tout ; et, quelque chose qui arrive, mon mariage est maintenant certain.

> *Elle baise la main de sa maîtresse. Elles sortent.*

FIN DU SECOND ACTE

Pendant l'entracte, des valets arrangent la salle d'audience : on apporte les deux banquettes à dossier des avocats, que l'on place aux deux côtés du théâtre, de façon que le passage soit libre par-derrière. On pose une estrade à deux marches dans le milieu du théâtre, vers le fond, sur laquelle on place le fauteuil du comte. On met la table du greffier et son tabouret de côté sur le devant, et des sièges pour Brid'oison et d'autres juges, des deux côtés de l'estrade du comte[1].

---

1. Il s'agit ici d'un jeu d'entracte. On appelait au XVIIIe siècle *jeu de théâtre* ce que nous appelons *jeu de scène*; et *jeu théâtral*, ce que nous appelons *mise en scène*. Mais à cette date, l'expression *jeu d'entracte* est aussi nouvelle que la chose.

ACTE III

Le théâtre représente une salle du château, appelée salle du trône et servant de salle d'audience, ayant sur le côté une impériale en dais[1] et, dessous, le portrait du roi.

SCÈNE PREMIÈRE

LE COMTE, PÉDRILLE, *en veste et botté, tenant un paquet cacheté.*

LE COMTE, *vite* : M'as-tu bien entendu ?
PÉDRILLE : Excellence, oui.

Il sort.

---

1. *Impériale* se disait, au XVIIIe siècle, du dessus d'un carrosse ou d'un lit ; ici, plus largement, du dais qui protège et sacralise le portrait du souverain. Le comte va juger au nom du roi.

SCÈNE II

LE COMTE *seul, criant.*

Pédrille?

SCÈNE III

LE COMTE, PÉDRILLE *revient.*

PÉDRILLE : Excellence?

LE COMTE : On ne t'a pas vu?

PÉDRILLE : Âme qui vive.

LE COMTE : Prenez[1] le cheval barbe.

PÉDRILLE : Il est à la grille du potager, tout sellé.

LE COMTE : Ferme, d'un trait, jusqu'à Séville.

PÉDRILLE : Il n'y a que trois lieues, elles sont bonnes.

LE COMTE : En descendant, sachez si le page est arrivé.

PÉDRILLE : Dans l'hôtel[2]?

LE COMTE : Oui ; surtout depuis quel temps.

PÉDRILLE : J'entends.

LE COMTE : Remets-lui son brevet et reviens vite.

PÉDRILLE : Et s'il n'y était pas?

LE COMTE : Revenez plus vite et m'en rendez compte. Allez.

---

1. Pédrille ne part donc pas seul.
2. C'est-à-dire dans l'hôtel particulier du comte.

SCÈNE IV

LE COMTE *seul, marche en rêvant.*

J'ai fait une gaucherie en éloignant Bazile !… la colère n'est bonne à rien. Ce billet remis par lui, qui m'avertit d'une entreprise sur la comtesse ; la camariste enfermée quand j'arrive ; la maîtresse affectée d'une terreur fausse ou vraie ; un homme qui saute par la fenêtre, et l'autre après qui avoue… ou qui prétend que c'est lui… Le fil m'échappe. Il y a là-dedans une obscurité… Des libertés chez mes vassaux, qu'importe à gens de cette étoffe ? Mais la comtesse ! si quelque insolent attendait… où m'égaré-je ? En vérité quand la tête se monte, l'imagination la mieux réglée devient folle comme un rêve ! Elle s'amusait ; ces ris étouffés, cette joie mal éteinte ! Elle se respecte, et mon honneur… où diable on l'a placé ! De l'autre part où suis-je ? cette friponne de Suzanne a-t-elle trahi mon secret ?… Comme il n'est pas encore le sien… Qui donc[1] m'enchaîne à cette fantaisie ? j'ai voulu vingt fois y renoncer… Étrange effet de l'irrésolution ! si je la voulais sans débat, je la désirerais mille fois moins. Ce Figaro se fait bien attendre ! il faut le sonder adroitement, (*Figaro paraît dans le fond ; il s'arrête*) et tâcher, dans la conversation que je vais avoir avec lui, de démêler d'une manière détournée s'il est instruit ou non de mon amour pour Suzanne.

1. Qu'est-ce donc qui…

SCÈNE V

LE COMTE, FIGARO

FIGARO, *à part* : Nous y voilà.

LE COMTE : ... S'il en sait par elle un seul mot...

FIGARO, *à part* : Je m'en suis douté.

LE COMTE : ... je lui fais épouser la vieille.

FIGARO, *à part* : Les amours de M. Bazile.

LE COMTE : ... Et voyons ce que nous ferons de la jeune.

FIGARO, *à part* : Ah! ma femme, s'il vous plaît.

LE COMTE *se retourne* : Hein? quoi? qu'est-ce que c'est?

FIGARO *s'avance* : Moi, qui me rends à vos ordres.

LE COMTE : Et pourquoi ces mots?

FIGARO : Je n'ai rien dit.

LE COMTE *répète* : « Ma femme, s'il vous plaît » ?

FIGARO : C'est... la fin d'une réponse que je faisais : « Allez le dire à ma femme, s'il vous plaît. »

LE COMTE *se promène* : « Sa femme » !... Je voudrais bien savoir quelle affaire peut arrêter Monsieur, quand je le fais appeler?

FIGARO, *feignant d'assurer son habillement* : Je m'étais sali sur ces couches en tombant[1]; je me changeais.

LE COMTE : Faut-il une heure?

FIGARO : Il faut le temps.

LE COMTE : Les domestiques ici... sont plus longs à s'habiller que les maîtres!

1. Voir acte II, sc. XXI.

FIGARO : C'est qu'ils n'ont point de valets pour les y aider.

LE COMTE : … Je n'ai pas trop compris ce qui vous avait forcé tantôt de courir un danger inutile, en vous jetant…

FIGARO : Un danger ! on dirait que je me suis engouffré tout vivant…

LE COMTE : Essayez de me donner le change en feignant de le prendre[1], insidieux valet ! vous entendez fort bien que ce n'est pas le danger qui m'inquiète, mais le motif.

FIGARO : Sur un faux avis, vous arrivez furieux, renversant tout, comme le torrent de la Morena ; vous cherchez un homme ; il vous le faut, ou vous allez briser les portes, enfoncer les cloisons ! je me trouve là par hasard ; qui sait dans votre emportement si…

LE COMTE, *interrompant* : Vous pouviez fuir par l'escalier.

FIGARO : Et vous, me prendre au corridor.

LE COMTE, *en colère* : Au corridor ! *(À part.)* Je m'emporte, et nuis à ce que je veux savoir.

FIGARO, *à part* : Voyons-le venir, et jouons serré.

LE COMTE, *radouci* : Ce n'est pas ce que je voulais dire, laissons cela. J'avais… oui, j'avais quelque envie de t'emmener à Londres, courrier de dépêches… mais toutes réflexions faites…

FIGARO : Monseigneur a changé d'avis ?

LE COMTE : Premièrement, tu ne sais pas l'anglais.

FIGARO : Je sais *God-dam.*

---

1. Essayez de me tromper en feignant de vous tromper vous-même.

LE COMTE : Je n'entends pas.

FIGARO : Je dis que je sais *God-dam.*

LE COMTE : Eh bien?

FIGARO : Diable! c'est une belle langue que l'anglais; il en faut peu pour aller loin. Avec *God-dam*[1] en Angleterre, on ne manque de rien nulle part. Voulez-vous tâter d'un bon poulet gras? entrez dans une taverne, et faites seulement ce geste au garçon. *(Il tourne la broche.) God-dam!* on vous apporte un pied de bœuf salé sans pain. C'est admirable! Aimez-vous à boire un coup d'excellent bourgogne ou de clairet[2]? rien que celui-ci. *(Il débouche une bouteille.) God-dam!* on vous sert un pot de bière, en bel étain, la mousse aux bords. Quelle satisfaction! Rencontrez-vous une de ces jolies personnes qui vont trottant menu, les yeux baissés, coudes en arrière, et tortillant un peu des hanches? mettez mignardement[3] tous les doigts unis sur la bouche. Ah! *God-dam!* elle vous sangle un soufflet de crocheteur[4]. Preuve qu'elle entend. Les Anglais, à la vérité, ajoutent par-ci, par-là quelques autres mots en conversant; mais il est bien aisé de voir que *God-dam* est le fond de la langue; et si Monseigneur n'a pas d'autre motif de me laisser en Espagne…

1. *God-dam* : ce juron était connu depuis longtemps en France. C'est déjà à cause de lui que les soldats de Jeanne d'Arc appelaient les Anglais les *Godons.*
2. *Clairet* : ici le vin de Bordeaux, opposé au Bourgogne.
3. Pour exprimer l'admiration. *Mignardement*, comme *mignard*, est en train de prendre une valeur péjorative et exprime un mélange de gentillesse et d'afféterie.
4. *Crocheteur* : portefaix; les crocheteurs portaient les charges sur leur dos à l'aide d'un crochet. Une telle construction de *sangler* est ordinaire au XVIIIe siècle.

LE COMTE, *à part* : Il veut venir à Londres ; elle n'a pas parlé.

FIGARO, *à part* : Il croit que je ne sais rien ; travaillons-le un peu dans son genre.

LE COMTE[1] : Quel motif avait la comtesse pour me jouer un pareil tour ?

FIGARO : Ma foi, monseigneur, vous le savez mieux que moi.

LE COMTE : Je la préviens sur tout[2] et la comble de présents.

FIGARO : Vous lui donnez, mais vous êtes infidèle. Sait-on gré du superflu à qui nous prive du nécessaire ?

LE COMTE : ... Autrefois tu me disais tout.

FIGARO : Et maintenant je ne vous cache rien.

LE COMTE : Combien la comtesse t'a-t-elle donné pour cette belle association ?

FIGARO : Combien me donnâtes-vous pour la tirer des mains du docteur ? Tenez, monseigneur, n'humilions pas l'homme qui nous sert bien, crainte d'en faire un mauvais valet.

LE COMTE : Pourquoi faut-il qu'il y ait toujours du louche en ce que tu fais ?

FIGARO : C'est qu'on en voit partout quand on cherche des torts.

LE COMTE : Une réputation détestable !

FIGARO : Et si je vaux mieux qu'elle ? y a-t-il beaucoup de seigneurs qui puissent en dire autant ?

LE COMTE : Cent fois je t'ai vu marcher à la fortune, et jamais aller droit.

---

1. Édition d'Amsterdam : *Le comte appelle Figaro du doigt. Figaro approche et le comte lui passe amicalement le bras autour du cou.*
2. Je préviens tous ses désirs.

FIGARO : Comment voulez-vous ? la foule est là : chacun veut courir, on se presse, on pousse, on coudoie, on renverse, arrive qui peut ; le reste est écrasé. Aussi c'est fait ; pour moi, j'y renonce.

LE COMTE : À la fortune ? *(À part.)* Voici du neuf.

FIGARO : *(À part.)* À mon tour maintenant. *(Haut.)* Votre Excellence m'a gratifié de la conciergerie du château ; c'est un fort joli sort ; à la vérité je ne serai pas le courrier étrenné[1] des nouvelles intéressantes ; mais en revanche, heureux avec ma femme au fond de l'Andalousie...

LE COMTE : Qui t'empêcherait de l'emmener à Londres ?

FIGARO : Il faudrait la quitter si souvent que j'aurais bientôt du mariage par-dessus la tête.

LE COMTE : Avec du caractère et de l'esprit, tu pourrais un jour t'avancer dans les bureaux.

FIGARO : De l'esprit pour s'avancer ? Monseigneur se rit du mien. Médiocre et rampant ; et l'on arrive à tout.

LE COMTE : ... Il ne faudrait qu'étudier un peu sous moi la politique.

FIGARO : Je la sais.

LE COMTE : Comme l'anglais, le fond de la langue !

FIGARO : Oui, s'il y avait de quoi se vanter. Mais feindre d'ignorer ce qu'on sait, de savoir tout ce qu'on ignore, d'entendre ce qu'on ne comprend pas, de ne point ouïr ce qu'on entend, surtout de

---

1. Le mot *étrenné* est peu clair. On peut entendre soit « rétribué », soit plutôt « qui a l'étrenne des nouvelles », qui les sait le premier.

pouvoir au-delà de ses forces ; avoir souvent pour
grand secret de cacher qu'il n'y en a point ; s'enfermer pour tailler des plumes et paraître pro-
fond, quand on n'est, comme on dit, que vide
et creux ; jouer bien ou mal un personnage ;
répandre des espions et pensionner des traîtres ;
amollir des cachets ; intercepter des lettres ; et
tâcher d'ennoblir la pauvreté des moyens par
l'importance des objets : voilà toute la politique,
ou je meure !

LE COMTE : Eh ! c'est l'intrigue que tu définis !

FIGARO : La politique, l'intrigue, volontiers ;
mais comme je les crois un peu germaines, en
fasse qui voudra. « J'aime mieux ma mie, ô gué[1] ! »
comme dit la chanson du bon roi.

LE COMTE, *à part* : Il veut rester. J'entends...
Suzanne m'a trahi.

FIGARO, *à part* : Je l'enfile[2] et le paye en sa monnaie.

LE COMTE : Ainsi tu espères gagner ton procès
contre Marceline ?

FIGARO : Me feriez-vous un crime de refuser une
vieille fille, quand Votre Excellence se permet de
nous souffler toutes les jeunes ?

LE COMTE, *raillant* : Au tribunal, le magistrat
s'oublie et ne voit plus que l'ordonnance.

FIGARO : Indulgente aux grands, dure aux
petits...

LE COMTE : Crois-tu donc que je plaisante ?

FIGARO : Eh ! qui le sait, Monseigneur ? *Tempo è*

---

1. Voir *Le Misanthrope*, acte I, sc. II, v. 411.
2. Voir p. 92 et n. 2.

galant' uomo[1], dit l'italien ; il dit toujours la vérité :
c'est lui qui m'apprendra qui me veut du mal ou
du bien.

LE COMTE, *à part* : Je vois qu'on lui a tout dit ; il
épousera la duègne.

FIGARO, *à part* : Il a joué au fin avec moi ; qu'a-t-il
appris ?

SCÈNE VI

LE COMTE, UN LAQUAIS, FIGARO

LE LAQUAIS, *annonçant* : Don Gusman Brid'oison.

LE COMTE : Brid'oison ?

FIGARO : Eh ! sans doute. C'est le juge ordinaire ;
le lieutenant du siège ; votre prud'homme[2].

LE COMTE : Qu'il attende.

Le laquais sort.

SCÈNE VII

LE COMTE, FIGARO

FIGARO *reste un moment à regarder le comte qui rêve*[3] :
… Est-ce là ce que Monseigneur voulait ?

1. « Le temps est galant homme » ; mais *galant' uomo* signifie
« homme honnête ». Figaro donne ensuite le sens exact du proverbe : le temps finit toujours par révéler la vérité.
2. *Prud'homme* : ici, conseiller juridique.
3. *Qui rêve* : qui réfléchit.

LE COMTE, *revenant à lui* : Moi ?... Je disais d'arranger ce salon pour l'audience publique.

FIGARO : Hé, qu'est-ce qu'il manque ? le grand
fauteuil pour vous, de bonnes chaises aux
prud'hommes, le tabouret du greffier, deux banquettes aux avocats, le plancher pour le beau
monde, et la canaille derrière. Je vais renvoyer les
frotteurs.

Il sort.

SCÈNE VIII

LE COMTE, *seul.*

Le maraud m'embarrassait ! en disputant[1], il
prend son avantage, il vous serre, vous enve-
loppe... Ah ! friponne et fripon ! vous vous entendez pour me jouer ! Soyez amis, soyez amants,
soyez ce qu'il vous plaira, j'y consens ; mais, parbleu, pour époux...

SCÈNE IX

SUZANNE, LE COMTE

SUZANNE, *essoufflée* : Monseigneur... pardon,
Monseigneur.

1. Au cours de la discussion.

LE COMTE, *avec humeur* : Qu'est-ce qu'il y a, mademoiselle ?

SUZANNE : Vous êtes en colère !

LE COMTE : Vous voulez quelque chose apparemment ?

SUZANNE, *timidement* : C'est que ma maîtresse a ses vapeurs. J'accourais vous prier de nous prêter votre flacon d'éther. Je l'aurais rapporté dans l'instant.

LE COMTE *le lui donne* : Non, non, gardez-le pour vous-même. Il ne tardera pas à vous être utile.

SUZANNE : Est-ce que les femmes de mon état ont des vapeurs, donc ? c'est un mal de condition[1] qu'on ne prend que dans les boudoirs.

LE COMTE : Une fiancée bien éprise, et qui perd son futur…

SUZANNE : En payant Marceline avec la dot que vous m'avez promise…

LE COMTE : Que je vous ai promise, moi ?

SUZANNE *baissant les yeux* : Monseigneur, j'avais cru l'entendre.

LE COMTE : Oui, si vous consentiez à m'entendre vous-même.

SUZANNE, *les yeux baissés* : Et n'est-ce pas mon devoir d'écouter Son Excellence ?

LE COMTE : Pourquoi donc, cruelle fille ! ne me l'avoir pas dit plus tôt ?

SUZANNE : Est-il jamais trop tard pour dire la vérité ?

LE COMTE : Tu te rendrais sur la brune au jardin ?

1. C'est-à-dire réservé aux femmes *de condition*, aux femmes de haute naissance.

SUZANNE : Est-ce que je ne m'y promène pas tous les soirs ?

LE COMTE : Tu m'as traité ce matin si durement !

SUZANNE : Ce matin ? et le page derrière le fauteuil ?

LE COMTE : Elle a raison, je l'oubliais. Mais pourquoi ce refus obstiné, quand Bazile, de ma part ?...

SUZANNE : Quelle nécessité qu'un Bazile ?...

LE COMTE : Elle a toujours raison. Cependant il y a un certain Figaro à qui je crains bien que vous n'ayez tout dit !

SUZANNE : Dame ! oui, je lui dis tout — hors ce qu'il faut lui taire.

LE COMTE, *en riant* : Ah ! charmante ! Et, tu me le promets ? Si tu manquais à ta parole, entendons-nous, mon cœur : point de rendez-vous, point de dot, point de mariage.

SUZANNE, *faisant la révérence* : Mais aussi, point de mariage, point de droit du seigneur, Monseigneur.

LE COMTE : Où prend-elle ce qu'elle dit ? d'honneur j'en raffolerai ! Mais ta maîtresse attend le flacon...

SUZANNE, *riant et rendant le flacon* : Aurais-je pu vous parler sans un prétexte ?

LE COMTE *veut l'embrasser* : Délicieuse créature !

SUZANNE *s'échappe* : Voilà du monde.

LE COMTE, *à part* : Elle est à moi.

Il s'enfuit.

SUZANNE : Allons vite rendre compte à Madame.

SCÈNE X

SUZANNE, FIGARO

FIGARO : Suzanne, Suzanne ! où cours-tu donc si vite en quittant Monseigneur ?

SUZANNE : Plaide à présent, si tu le veux ; tu viens de gagner ton procès.

Elle s'enfuit.

FIGARO *la suit* : Ah ! mais, dis donc...

SCÈNE XI

LE COMTE *rentre seul.*

« Tu viens de gagner ton procès ! » Je donnais là dans un bon piège ! Ô mes chers insolents ! je vous punirai de façon... Un bon arrêt, bien juste... mais s'il allait payer la duègne... avec quoi ?... s'il payait... Eeeeh ! n'ai-je pas le fier Antonio, dont le noble orgueil dédaigne en Figaro un inconnu pour sa nièce ? En caressant cette manie... pourquoi non ? dans le vaste champ de l'intrigue, il faut savoir tout cultiver, jusqu'à la vanité d'un sot. (*Il appelle.*) Anto...

Il voit entrer Marceline, etc. Il sort.

SCÈNE XII

BARTHOLO, MARCELINE, BRID'OISON

MARCELINE, *à Brid'oison* : Monsieur, écoutez mon affaire.

BRID'OISON, *en robe, et bégayant un peu* : Eh bien ! pa-arlons-en verbalement.

BARTHOLO : C'est une promesse de mariage.

MARCELINE : Accompagnée d'un prêt d'argent.

BRID'OISON : J'en-entends, *et caetera*, le reste.

MARCELINE : Non, monsieur, point d'*et caetera*.

BRID'OISON : J'en-entends : vous avez la somme ?

MARCELINE : Non, monsieur, c'est moi qui l'ai prêtée.

BRID'OISON : J'en-entends bien : vou-ous rede-mandez l'argent ?

MARCELINE : Non, monsieur ; je demande qu'il m'épouse.

BRID'OISON : Eh, mais, j'en-entends fort bien ; et lui, veu-eut-il vous épouser ?

MARCELINE : Non, monsieur ; voilà tout le procès !

BRID'OISON : Croyez-vous que je ne l'en-entende pas, le procès ?

MARCELINE : Non, monsieur. *(À Bartholo :)* Où sommes-nous ? *(À Brid'oison :)* Quoi ! c'est vous qui nous jugerez ?

BRID'OISON : Est-ce que j'ai a-acheté ma charge pour autre chose ?

MARCELINE, *en soupirant* : C'est un grand abus que de les vendre !

BRID'OISON : Oui, l'on-on ferait mieux de nous les donner pour rien. Contre qui plai-aidez-vous ?

SCÈNE XIII

BARTHOLO, MARCELINE, BRID'OISON ; FIGARO
rentre en se frottant les mains.

MARCELINE, *montrant Figaro* : Monsieur, contre ce malhonnête homme.

FIGARO, *très gaiement, à Marceline* : Je vous gêne, peut-être. Monseigneur revient dans l'instant, monsieur le conseiller.

BRID'OISON : J'ai vu ce ga-arçon-là quelque part ?

FIGARO : Chez madame votre femme, à Séville, pour la servir, monsieur le conseiller.

BRID'OISON : Dan-ans quel temps ?

FIGARO : Un peu moins d'un an avant la naissance de monsieur votre fils, le cadet, qui est un bien joli enfant, je m'en vante.

BRID'OISON : Oui, c'est le plus jo-oli de tous. On dit que tu-u fais ici des tiennes ?

FIGARO : Monsieur est bien bon. Ce n'est là qu'une misère.

BRID'OISON : Une promesse de mariage ! A-ah ! le pauvre benêt !

FIGARO : Monsieur…

BRID'OISON : A-t-il vu mon-on secrétaire, ce bon garçon ?

FIGARO : N'est-ce pas Double-Main, le greffier ?

BRID'OISON : Oui, c'est qu'il mange à deux râteliers.

FIGARO : Manger ! je suis garant qu'il dévore.
Oh ! que oui, je l'ai vu, pour l'extrait[1] et pour le
supplément d'extrait ; comme cela se pratique, au
reste.

BRID'OISON : On-on doit remplir les formes.

FIGARO : Assurément, monsieur : si le fond des
procès appartient aux plaideurs, on sait bien que
la forme est le patrimoine des tribunaux.

BRID'OISON : Ce garçon-là n'è-est pas si niais que
je l'avais cru d'abord. Eh bien, l'ami, puisque tu
en sais tant, nou-ous aurons soin de ton affaire.

FIGARO : Monsieur, je m'en rapporte à votre
équité, quoique vous soyez de notre justice.

BRID'OISON : Hein ?... Oui, je suis de la-a justice.
Mais si tu dois et que tu-u ne payes pas ?...

FIGARO : Alors Monsieur voit bien que c'est
comme si je ne devais pas.

BRID'OISON : San-ans doute. Hé mais ! qu'est-ce
donc qu'il dit ?

SCÈNE XIV

BARTHOLO, MARCELINE, LE COMTE,
BRID'OISON, FIGARO, UN HUISSIER

L'HUISSIER, *précédant le comte, crie* : Monseigneur,
messieurs.

LE COMTE : En robe ici, seigneur Brid'oison ! ce
n'est qu'une affaire domestique. L'habit de ville
était trop bon.

1. *Extrait* : « abrégé, sommaire, analyse d'un procès » *(Académie).*

BRID'OISON : C'è-est vous qui l'êtes, monsieur le comte. Mais je ne vais jamais san-ans elle ; parce que la forme, voyez-vous, la forme ! Tel rit d'un juge en habit court, qui-i tremble au seul aspect d'un procureur en robe. La forme, la-a forme !

LE COMTE, *à l'huissier* : Faites entrer l'audience[1].

L'HUISSIER *va ouvrir en glapissant* : L'audience !

SCÈNE XV

LES ACTEURS PRÉCÉDENTS, ANTONIO,
LES VALETS DU CHÂTEAU, LES PAYSANS
ET PAYSANNES *en habits de fête* ; LE COMTE
s'assied sur le grand fauteuil,
BRID'OISON *sur une chaise à côté* ;
LE GREFFIER *sur le tabouret derrière
sa table* ; LES JUGES, LES AVOCATS
sur les banquettes ; MARCELINE
à côté de BARTHOLO ; FIGARO *sur l'autre
banquette* ; LES PAYSANS ET VALETS *debout
derrière.*

BRID'OISON, *à Double-Main* : Double-Main, a-appelez les causes.

DOUBLE-MAIN *lit un papier* : Noble, très noble, infiniment noble, *Dom Pedro George, Hidalgo, baron de Los Altos, y Montes Fieros, y otros montes*[2] ; contre

---

1. *Audience* : l'ensemble des auditeurs, plaignants et public.
2. Beaumarchais se moque de la longueur des noms espagnols ; on peut traduire : « Baron des hauteurs et des monts altiers et d'autres monts. » Le vrai Calderón se prénommait Pedro.

Alonzo Calderon, jeune auteur dramatique. Il est question d'une comédie mort-née, que chacun désavoue et rejette sur l'autre.

LE COMTE : Ils ont raison tous deux. Hors de Cour[1]. S'ils font ensemble un autre ouvrage, pour qu'il marque un peu dans le grand monde, ordonné que le noble y mettra son nom, le poète son talent[2].

DOUBLE-MAIN *lit un autre papier* : *André Petrutchio,* laboureur ; contre le receveur de la province. Il s'agit d'un forcement arbitraire[3].

LE COMTE : L'affaire n'est pas de mon ressort. Je servirai mieux mes vassaux en les protégeant près du Roi. Passez.

DOUBLE-MAIN *en prend un troisième. (Bartholo et Figaro se lèvent.)* : *Barbe-Agar-Raab-Madeleine-Nicole Marceline de Verte-Allure,* fille majeure *(Marceline se lève et salue)* ; contre *Figaro...* nom de baptême en blanc ?

FIGARO : Anonyme.

BRID'OISON : A-anonyme ! Què-el patron est-ce là ?

FIGARO : C'est le mien.

DOUBLE-MAIN *écrit* : Contre anonyme *Figaro.* Qualités ?

FIGARO : Gentilhomme.

LE COMTE : Vous êtes gentilhomme ? *(Le greffier écrit.)*

FIGARO : Si le Ciel l'eût voulu, je serais fils d'un prince.

---

1. C'est-à-dire déboutés.
2. Peut-être Beaumarchais se souvient-il d'un proverbe de Carmontelle : *Le Seigneur auteur* (1768).
3. *Forcement arbitraire* : augmentation des redevances injustifiée.

LE COMTE, *au greffier* : Allez.

L'HUISSIER, *glapissant* : Silence, messieurs.

DOUBLE-MAIN *lit* : ... Pour cause d'opposition faite au mariage dudit *Figaro* par ladite *de Verte-Allure.* Le docteur *Bartholo* plaidant pour la demande-resse, et ledit *Figaro* pour lui-même ; si la Cour le permet, contre le vœu de l'usage et la jurispru-dence du siège.

FIGARO : L'usage, maître Double-Main, est sou-vent un abus ; le client un peu instruit sait tou-jours mieux sa cause que certains avocats qui, suant à froid, criant à tue-tête, et connaissant tout, hors le fait, s'embarrassent aussi peu de rui-ner le plaideur que d'ennuyer l'auditoire, et d'en-dormir Messieurs ; plus boursouflés après que s'ils eussent composé l'*Oratio pro Murena*[1] ; moi je dirai le fait en peu de mots. Messieurs...

DOUBLE-MAIN : En voilà beaucoup d'inutiles, car vous n'êtes pas demandeur et n'avez pas la défense. Avancez, docteur, et lisez la promesse.

FIGARO : Oui, promesse !

BARTHOLO, *mettant ses lunettes* : Elle est précise.

BRID'OISON : I-il faut la voir.

DOUBLE-MAIN : Silence donc, messieurs.

L'HUISSIER, *glapissant* : Silence.

BARTHOLO *lit* : « Je soussigné reconnais avoir reçu de damoiselle, etc., Marceline de Verte-Allure, dans le château d'Aguas-Frescas, la somme de deux mille piastres fortes cordonnées[2] ; laquelle

---

1. Ce plaidoyer de Cicéron était toujours considéré comme un modèle.
2. *Piastre* : monnaie d'argent espagnole qui vaut environ cent sous. On disait souvent *piastre forte,* pour la distinguer de la demi-

somme je lui rendrai à sa réquisition, dans ce château, et je l'épouserai, par forme de reconnaissance, etc. » Signé *Figaro*, tout court. Mes conclusions sont au payement du billet, et à l'exécution de la promesse, avec dépens. *(Il plaide.)* Messieurs… jamais cause plus intéressante ne fut soumise au jugement de la Cour ! et depuis Alexandre le Grand, qui promit mariage à la belle Thalestris[1]…

LE COMTE, *interrompant* : Avant d'aller plus loin, avocat… convient-on de la validité du titre ?

BRID'OISON, *à Figaro* : Qu'oppo… qu'oppo-osez-vous à cette lecture ?

FIGARO : Qu'il y a, messieurs, malice, erreur, ou distraction dans la manière dont on a lu la pièce ; car il n'est pas dit dans l'écrit : « laquelle somme je lui rendrai *et* je l'épouserai » ; mais : « laquelle somme je lui rendrai *ou* je l'épouserai » ; ce qui est bien différent.

LE COMTE : Y a-t-il *et* dans l'acte, ou bien *ou* ?

BARTHOLO : Il y a *et*.

FIGARO : Il y a *ou*.

BRID'OISON : Dou-ouble-Main, lisez vous-même.

DOUBLE-MAIN, *prenant le papier* : Et c'est le plus sûr ; car souvent les parties déguisent en lisant. *(Il lit.)* « E. e. e. damoiselle e. e. e. de Verte-Allure e. e. e. Ah ! laquelle somme je lui rendrai à sa réquisition, dans ce château… *et… ou… et… ou…* » Le mot est si mal écrit… il y a un pâté.

---

piastre. Une pièce *cordonnée* était entourée d'un cordon, «petit bord façonné » *(Académie)*. La livre valant vingt sous, **Figaro** doit dix mille livres, ce qui est pour lui une somme énorme.

1. Voir Quinte Curce, *Histoire d'Alexandre*, livre V, chap. v.

BRID'OISON : Un pâ-âté ? je sais ce que c'est.

BARTHOLO, *plaidant* : Je soutiens, moi, que c'est la conjonction copulative *et* qui lie les membres corrélatifs de la phrase ; je payerai la demoiselle *et* je l'épouserai.

FIGARO, *plaidant* : Je soutiens, moi, que c'est la conjonction alternative *ou*, qui sépare lesdits membres ; je payerai la donzelle *ou* je l'épouserai : à pédant, pédant et demi ; qu'il s'avise de parler latin, j'y suis grec[1] ; je l'extermine.

LE COMTE : Comment juger pareille question ?

BARTHOLO : Pour la trancher, messieurs, et ne plus chicaner sur un mot, nous passons[2] qu'il y ait *ou*.

FIGARO : J'en demande acte.

BARTHOLO : Et nous y adhérons. Un si mauvais refuge ne sauvera pas le coupable[3] : examinons le titre en ce sens. *(Il lit.)* « Laquelle somme je lui rendrai dans ce château *où* je l'épouserai. » C'est ainsi qu'on dirait, messieurs : « vous vous ferez saigner dans ce lit *où* vous resterez chaudement » ; c'est « dans lequel ». « Il prendra deux gros[4] de rhubarbe *où* vous mêlerez un peu de tamarin » ; dans lesquels on mêlera... Ainsi « château *où* je l'épouserai », messieurs, c'est « château dans lequel »...

FIGARO : Point du tout : la phrase est dans le sens

---

1. *J'y suis grec* : j'y suis fort habile.
2. *Passer* : au sens juridique, concéder.
3. Bartholo n'a pas fait de concession : il fait de *où* un relatif, le pâté ne permettant de voir s'il y a accent ou non.
4. Le *gros*, ou *drachme*, valait le huitième d'une once, soit trois grammes vingt-quatre centigrammes. On l'utilisait pour peser les plantes médicinales.

de celle-ci : « *ou* la maladie vous tuera, *ou* ce sera le médecin ; *ou bien* le médecin » ; c'est incontestable. Autre exemple : « *ou* vous n'écrirez rien qui plaise, *ou* les sots vous dénigreront ; *ou bien* les sots » ; le sens est clair ; car, audit cas, « *sots* ou *méchants*[1] » sont le substantif qui gouverne. Maître Bartholo croit-il donc que j'aie oublié ma syntaxe ? Ainsi, je la payerai dans ce château, *virgule* ; ou je l'épouserai…

BARTHOLO, *vite* : Sans virgule.

FIGARO, *vite* : Elle y est. C'est *virgule*, messieurs, ou bien je l'épouserai.

BARTHOLO, *regardant le papier ; vite* : Sans virgule, messieurs.

FIGARO, *vite* : Elle y était, messieurs. D'ailleurs, l'homme qui épouse est-il tenu de rembourser ?

BARTHOLO, *vite* : Oui ; nous nous marions[2] séparés de biens.

FIGARO, *vite* : Et nous de corps, dès que mariage n'est pas quittance.

Les juges se lèvent et opinent tout bas.

BARTHOLO : Plaisant acquittement[3] !

DOUBLE-MAIN : Silence, messieurs.

L'HUISSIER, *glapissant* : Silence.

BARTHOLO : Un pareil fripon appelle cela payer ses dettes !

---

1. Figaro rectifie son exemple en donnant le choix entre deux sujets, ce qui lui paraît exprimer mieux la jalousie à l'égard des écrivains de mérite.

2. C'est le *nous* d'avocat, Bartholo plaidant pour Marceline.

3. *Dès que mariage n'est pas quittance* : puisque le mariage ne supprime pas la dette. *Plaisant acquittement* : ce serait une plaisante façon de s'acquitter.

FIGARO : Est-ce votre cause, avocat, que vous plaidez ?

BARTHOLO : Je défends cette demoiselle.

FIGARO : Continuez à déraisonner ; mais cessez d'injurier. Lorsque, craignant l'emportement des plaideurs, les tribunaux ont toléré qu'on appelât des tiers, ils n'ont pas entendu que ces défenseurs modérés deviendraient impunément des insolents privilégiés. C'est dégrader le plus noble institut[1].

Les juges continuent d'opiner bas.

ANTONIO, *à Marceline, montrant les juges* : Qu'ont-ils tant à balbucifier[2] ?

MARCELINE : On a corrompu le grand juge, il corrompt l'autre[3], et je perds mon procès.

BARTHOLO, *bas, d'un ton sombre* : J'en ai peur.

FIGARO, *gaiement* : Courage, Marceline !

DOUBLE-MAIN *se lève ; à Marceline* : Ah, c'est trop fort ! Je vous dénonce ; et pour l'honneur du tribunal, je demande qu'avant faire droit sur l'autre affaire, il soit prononcé sur celle-ci[4].

LE COMTE *s'assied* : Non, greffier, je ne prononcerai point sur mon injure personnelle[5] : un juge espagnol n'aura point à rougir d'un excès digne au plus des tribunaux asiatiques[6] : c'est assez des

1. La plus noble institution.
2. Pour *balbutier*, évidemment.
3. Le « grand juge » est le comte, et l'autre, Brid'oison ; d'où la réaction de Double-Main.
4. Il y aurait donc deux affaires ; Marceline aurait à répondre d'outrage à magistrat.
5. Sur l'injure faite à ma personne.
6. À l'acte I, sc. x, p. 87, le comte opposait déjà la tyrannie d'un Vandale au droit avoué d'un Castillan.

autres abus ! J'en vais corriger un second en vous motivant mon arrêt : tout juge qui s'y refuse est un grand ennemi des lois ! Que peut requérir la demanderesse ? mariage à défaut de paiement ; les deux ensemble impliqueraient[1].

DOUBLE-MAIN : Silence, messieurs !

L'HUISSIER, *glapissant* : Silence !

LE COMTE : Que nous répond le défendeur ? qu'il veut garder sa personne ; à lui permis.

FIGARO, *avec joie* : J'ai gagné.

LE COMTE : Mais comme le texte dit : « laquelle somme je payerai à la première réquisition, ou bien j'épouserai, etc. », la Cour condamne le défendeur à payer deux mille piastres fortes à la demanderesse, ou bien à l'épouser dans le jour.

Il se lève.

FIGARO, *stupéfait* : J'ai perdu.

ANTONIO, *avec joie* : Superbe arrêt.

FIGARO : En quoi superbe ?

ANTONIO : En ce que tu n'es plus mon neveu. Grand merci, Monseigneur.

L'HUISSIER, *glapissant* : Passez, messieurs.

Le peuple sort.

ANTONIO : Je m'en vas tout conter à ma nièce.

Il sort.

---

1. Terme d'école. La formule complète serait : *impliqueraient contradiction.*

SCÈNE XVI

LE COMTE, *allant de côté et d'autre*;
MARCELINE, BARTHOLO, FIGARO, BRID'OISON

MARCELINE *s'assied* : Ah ! je respire.

FIGARO : Et moi, j'étouffe.

LE COMTE, *à part* : Au moins je suis vengé, cela soulage.

FIGARO, *à part* : Et ce Bazile qui devait s'opposer au mariage de Marceline ; voyez comme il revient ! *(Au comte qui sort.)* Monseigneur, vous nous quittez ?

LE COMTE : Tout est jugé.

FIGARO, *à Brid'oison* : C'est ce gros enflé de conseiller.

BRID'OISON : Moi, gro-os enflé !

FIGARO : Sans doute. Et je ne l'épouserai pas : je suis gentilhomme une fois[1].

> *Le comte s'arrête.*

BARTHOLO : Vous l'épouserez.

FIGARO : Sans l'aveu[2] de mes nobles parents ?

BARTHOLO : Nommez-les, montrez-les.

FIGARO : Qu'on me donne un peu de temps : je suis bien près de les revoir ; il y a quinze ans que je les cherche.

BARTHOLO : Le fat ! c'est quelque enfant trouvé !

FIGARO : Enfant perdu, docteur ; ou plutôt enfant volé.

1. Que cela soit clair une fois pour toutes.
2. *Aveu* : ici, consentement.

LE COMTE *revient* : « Volé, perdu », la preuve ? il crierait qu'on lui fait injure[1] !

FIGARO : Monseigneur, quand les langes à dentelles, tapis brodés et joyaux d'or trouvés sur moi par les brigands n'indiqueraient pas ma haute naissance, la précaution qu'on avait prise de me faire des marques distinctives témoignerait assez combien j'étais un fils précieux ; et cet hiéroglyphe à mon bras...

Il veut se dépouiller le bras droit.

MARCELINE, *se levant vivement* : Une spatule[2] à ton bras droit ?

FIGARO : D'où savez-vous que je dois l'avoir ?

MARCELINE : Dieux ! c'est lui !

FIGARO : Oui, c'est moi.

BARTHOLO, *à Marceline* : Et qui ? lui !

MARCELINE, *vivement* : C'est Emmanuel[3].

BARTHOLO, *à Figaro* : Tu fus enlevé par des bohémiens ?

FIGARO, *exalté* : Tout près d'un château. Bon docteur, si vous me rendez à ma noble famille, mettez un prix à ce service ; des monceaux d'or n'arrêteront pas mes illustres parents.

BARTHOLO, *montrant Marceline* : Voilà ta mère.

FIGARO : ... Nourrice ?

BARTHOLO : Ta propre mère.

---

1. Sous-entendu : si on ne lui permettait pas d'en fournir la preuve.
2. *Spatule* : « Instrument de chirurgie et d'apothicairerie qui est rond par un bout et plat par l'autre » *(Académie)*. Le thème de la reconnaissance était traditionnel au théâtre.
3. Voir acte I, sc. IV.

LE COMTE : Sa mère !

FIGARO : Expliquez-vous.

MARCELINE, *montrant Bartholo* : Voilà ton père.

FIGARO, *désolé* : O o oh ! aïe de moi !

MARCELINE : Est-ce que la nature ne te l'a pas dit mille fois ?

FIGARO : Jamais.

LE COMTE, *à part* : Sa mère !

BRID'OISON : C'est clair, i-il ne l'épousera pas.

☞ BARTHOLO* : Ni moi non plus.

MARCELINE : Ni vous ! et votre fils ? vous m'aviez juré…

BARTHOLO : J'étais fou. Si pareils souvenirs engageaient, on serait tenu d'épouser tout le monde.

BRID'OISON : E-et si l'on y regardait de si près, per-ersonne n'épouserait personne.

BARTHOLO : Des fautes si connues ! une jeunesse déplorable !

MARCELINE, *s'échauffant par degrés* : Oui, déplorable, et plus qu'on ne croit ! Je n'entends pas nier mes fautes, ce jour les a trop bien prouvées ! mais qu'il est dur de les expier après trente ans d'une vie modeste ! J'étais née, moi, pour être sage, et je la suis devenue sitôt qu'on m'a permis d'user de ma raison. Mais dans l'âge des illusions, de l'inexpérience et des besoins, où les séducteurs nous assiègent, pendant que la misère nous poignarde[2],

---

* Ce qui suit, enfermé entre ces deux index, a été retranché par les Comédiens-Français aux représentations de Paris[1].

1. Sur ce passage, voir la Préface, pp. 39-41.

2. Beaumarchais décrit en peu de mots la condition de la grisette, jeune fille pauvre que la misère obligeait souvent à se prostituer.

que peut opposer une enfant à tant d'ennemis rassemblés ? Tel nous juge ici sévèrement, qui, peut-être, en sa vie a perdu dix infortunées !

FIGARO : Les plus coupables sont les moins généreux ; c'est la règle.

MARCELINE, *vivement* : Hommes plus qu'ingrats, qui flétrissez par le mépris les jouets de vos passions, vos victimes ! c'est vous qu'il faut punir des erreurs de notre jeunesse ; vous et vos magistrats, si vains du droit de nous juger, et qui nous laissent enlever, par leur coupable négligence, tout honnête moyen de subsister. Est-il un seul état pour les malheureuses filles ? Elles avaient un droit naturel à toute la parure des femmes : on y laisse former mille ouvriers de l'autre sexe.

FIGARO, *en colère* : Ils font broder jusqu'aux soldats !

MARCELINE, *exaltée* : Dans les rangs même plus élevés, les femmes n'obtiennent de vous qu'une considération dérisoire ; leurrées de respects apparents, dans une servitude réelle ; traitées en mineures pour nos biens, punies en majeures pour nos fautes ! ah, sous tous les aspects, votre conduite avec nous fait horreur ou pitié !

FIGARO : Elle a raison !

LE COMTE, *à part* : Que trop raison !

BRID'OISON : Elle a, mon-on Dieu ! raison.

MARCELINE : Mais que nous font, mon fils, les refus d'un homme injuste ? ne regarde pas d'où tu viens, vois où tu vas ; cela seul importe à chacun. Dans quelques mois, ta fiancée ne dépendra plus que d'elle-même ; elle t'acceptera, j'en réponds : vis entre une épouse, une mère tendres

qui te chériront à qui mieux mieux. Sois indulgent pour elles, heureux pour toi, mon fils; gai,
libre et bon pour tout le monde : il ne manquera
rien à ta mère.

FIGARO : Tu parles d'or, maman, et je me tiens à
ton avis. Qu'on est sot, en effet! il y a des mille,
mille ans que le monde roule, et dans cet océan
de durée où j'ai par hasard attrapé quelques chétifs trente ans qui ne reviendront plus, j'irais me
tourmenter pour savoir à qui je les dois! tant pis
pour qui s'en inquiète! Passer ainsi la vie à chamailler, c'est peser sur le collier sans relâche,
comme les malheureux chevaux de la remonte
des fleuves qui ne reposent pas, même quand ils
s'arrêtent, et qui tirent toujours quoiqu'ils cessent
de marcher. Nous attendrons. ☞

LE COMTE : Sot événement qui me dérange !

BRID'OISON, *à Figaro* : Et la noblesse et le château? vous impo-osez à la justice[1].

FIGARO : Elle allait me faire faire une belle sottise, la justice! après que j'ai manqué, pour ces
maudits cent écus[2], d'assommer vingt fois Monsieur, qui se trouve aujourd'hui mon père ! Mais,
puisque le Ciel a sauvé ma vertu de ces dangers,
mon père, agréez mes excuses… Et vous, ma
mère, embrassez-moi… le plus maternellement
que vous pourrez.

Marceline lui saute au cou.

1. *[En] imposer* : tromper, abuser.
2. Voir acte I, sc. IV, p. 74.

SCÈNE XVII

BARTHOLO, FIGARO, MARCELINE, BRID'OISON,
SUZANNE, ANTONIO, LE COMTE

SUZANNE, *accourant, une bourse à la main* : Monseigneur, arrêtez ; qu'on ne les marie pas : je viens payer Madame avec la dot que ma maîtresse me donne.

LE COMTE, *à part* : Au diable la maîtresse ! Il semble que tout conspire…

Il sort.

SCÈNE XVIII

BARTHOLO, ANTONIO, SUZANNE, FIGARO,
MARCELINE, BRID'OISON

ANTONIO, *voyant Figaro embrasser sa mère, dit à Suzanne* : Ah ! oui, payer ! Tiens, tiens.

SUZANNE *se retourne* : J'en vois assez : sortons, mon oncle.

FIGARO, *l'arrêtant* : Non, s'il vous plaît. Que vois-tu donc ?

SUZANNE : Ma bêtise et ta lâcheté.

FIGARO : Pas plus de l'une que de l'autre.

SUZANNE, *en colère* : Et que tu l'épouses à gré, puisque tu la caresses.

FIGARO, *gaiement* : Je la caresse, mais je ne l'épouse pas.

Suzanne veut sortir, Figaro la retient.

SUZANNE *lui donne un soufflet* : Vous êtes bien insolent d'oser me retenir !

FIGARO, *à la compagnie* : C'est-il çà de l'amour ? Avant de nous quitter, je t'en supplie, envisage bien cette chère femme-là.

SUZANNE : Je la regarde.

FIGARO : Et tu la trouves ?

SUZANNE : Affreuse.

FIGARO : Et vive la jalousie ! elle ne vous marchande pas[1].

MARCELINE, *les bras ouverts* : Embrasse ta mère, ma jolie Suzannette. Le méchant qui te tourmente est mon fils.

SUZANNE *court à elle* : Vous, sa mère !

Elles restent dans les bras l'une de l'autre.

ANTONIO : C'est donc de tout à l'heure ?

FIGARO : … Que je le sais.

MARCELINE, *exaltée* : Non, mon cœur entraîné vers lui ne se trompait que de motif ; c'était le sang qui me parlait.

FIGARO : Et moi le bon sens[2], ma mère, qui me servait d'instinct quand je vous refusais, car j'étais loin de vous haïr ; témoin l'argent…

MARCELINE *lui remet un papier* : Il est à toi : reprends ton billet[3], c'est ta dot.

---

1. *Elle ne vous marchande pas* : elle ne vous épargne pas.
2. Jeu de mots entre *sang* et *sens*, l's final de ce dernier mot ne se prononçant pas au XVIIIᵉ siècle (sauf devant une voyelle).
3. *Ton billet* : la promesse de mariage qui liait Figaro. Voir la scène xv, p. 160.

SUZANNE *lui jette la bourse*: Prends encore celle-ci.

FIGARO : Grand merci.

MARCELINE, *exaltée*: Fille assez malheureuse, j'allais devenir la plus misérable des femmes et je suis la plus fortunée des mères! Embrassez-moi, mes deux enfants; j'unis dans vous toutes mes tendresses. Heureuse autant que je puis l'être, ah! mes enfants, combien je vais aimer!

FIGARO, *attendri, avec vivacité*: Arrête donc, chère mère! arrête donc! voudrais-tu voir se fondre en eau mes yeux noyés des premières larmes que je connaisse? elles sont de joie, au moins. Mais quelle stupidité! j'ai manqué d'en être honteux : je les sentais couler entre mes doigts, regarde; *(il montre ses doigts écartés)* et je les retenais bêtement! va te promener, la honte! je veux rire et pleurer en même temps; on ne sent pas deux fois ce que j'éprouve.

> *Il embrasse sa mère d'un côté, Suzanne de l'autre.*

MARCELINE : Ô mon ami!

SUZANNE* : Mon cher ami!

BRID'OISON, *s'essuyant les yeux d'un mouchoir*: Eh bien! moi! je suis donc bê-ête aussi!

FIGARO, *exalté*: Chagrin, c'est maintenant que je puis te défier : atteins-moi, si tu l'oses, entre ces deux femmes chéries.

ANTONIO, *à Figaro*: Pas tant de cajoleries, s'il vous plaît. En fait de mariage dans les familles,

---

* Bartholo. Antonio. Suzanne. Figaro. Marceline. Brid'oison.

celui des parents va devant, savez. Les vôtres se baillent-ils la main[1]?

BARTHOLO : Ma main ! puisse-t-elle se dessécher et tomber, si jamais je la donne à la mère d'un tel drôle !

ANTONIO, *à Bartholo* : Vous n'êtes donc qu'un père marâtre ? *(À Figaro :)* En ce cas, not' galant, plus de parole.

SUZANNE : Ah ! mon oncle...

ANTONIO : Irai-je donner l'enfant de not' sœur à sti[2] qui n'est l'enfant de personne ?

BRID'OISON : Est-ce que cela-a se peut, imbécile ? on est toujours l'enfant de quelqu'un.

ANTONIO : Tarare[3] !... Il ne l'aura jamais.

Il sort.

SCÈNE XIX

BARTHOLO, SUZANNE, FIGARO, MARCELINE,
BRID'OISON

BARTHOLO, *à Figaro* : Et cherche à présent qui t'adopte.

Il veut sortir.

---

1. *Savez* : forme populaire d'impératif plutôt que d'indicatif (sachez-le bien). *Bailler* : donner ; *donner la main* est fréquent — notamment chez Molière — pour *épouser*.
2. À celui-ci. *Sti* est une forme fréquente à cette époque dans le langage populaire. Sur la réplique d'Antonio, voir la scène XI, p. 154.
3. *Tarare !* : « interjection dont on se sert pour marquer qu'on se moque de ce qu'on entend dire ou qu'on ne le croit pas » *(Académie)*.

MARCELINE, *courant prendre Bartholo à bras-le-corps, le ramène* : Arrêtez, docteur, ne sortez pas !

FIGARO, *à part* : Non, tous les sots d'Andalousie sont, je crois, déchaînés contre mon pauvre mariage !

SUZANNE, *à Bartholo* : Bon petit papa, c'est votre fils*.

MARCELINE, *à Bartholo* : De l'esprit, des talents, de la figure.

FIGARO, *à Bartholo* : Et qui ne vous a pas coûté une obole.

BARTHOLO : Et les cent écus qu'il m'a pris ?

MARCELINE, *le caressant* : Nous aurons tant de soin de vous, papa !

SUZANNE, *le caressant* : Nous vous aimerons tant, petit papa !

BARTHOLO, *attendri* : Papa ! bon papa ! petit papa ! voilà que je suis plus bête encore que Monsieur, moi. *(Montrant Brid'oison.)* Je me laisse aller comme un enfant. *(Marceline et Suzanne l'embrassent.)* Oh ! non, je n'ai pas dit oui. *(Il se retourne.)* Qu'est donc devenu Monseigneur ?

FIGARO : Courons le joindre ; arrachons-lui son dernier mot. S'il machinait quelque autre intrigue, il faudrait tout recommencer.

TOUS ENSEMBLE : Courons, courons !

Ils entraînent Bartholo dehors.

---

* Suzanne. Bartholo. Marceline. Figaro. Brid'oison.

SCÈNE XX

BRID'OISON *seul.*

Plus bê-ête encore que Monsieur! On peut se dire à soi-même ces-es sortes de choses-là, mais... I-ils ne sont pas polis du tout dan-ans cet endroit-ci.

Il sort.

FIN DU TROISIÈME ACTE

ACTE IV

Le théâtre représente une galerie ornée de candélabres, de lustres allumés, de fleurs, de guirlandes, en un mot préparée pour donner une fête. Sur le devant à droite est une table avec une écritoire, un fauteuil derrière.

SCÈNE PREMIÈRE

FIGARO, SUZANNE

FIGARO, *la tenant à bras-le-corps* : Eh bien ! amour, es-tu contente ? elle a converti son docteur, cette fine langue dorée de ma mère ! malgré sa répugnance il l'épouse, et ton bourru d'oncle est bridé ; il n'y a que Monseigneur qui rage, car enfin notre hymen va devenir le prix du leur. Ris donc un peu de ce bon résultat.

SUZANNE : As-tu rien vu de plus étrange ?

FIGARO : Ou plutôt d'aussi gai. Nous ne voulions qu'une dot arrachée à l'Excellence ; en voilà deux dans nos mains, qui ne sortent pas des siennes.

Une rivale acharnée te poursuivait ; j'étais tourmenté par une furie ; tout cela s'est changé, pour
nous, dans « la plus bonne » des mères. Hier
j'étais comme seul au monde ; et voilà que j'ai
tous mes parents ; pas si magnifiques, il est vrai,
que je me les étais galonnés ; mais assez bien pour
nous, qui n'avons pas la vanité des riches.

SUZANNE : Aucune des choses que tu avais dispo-
sées, que nous attendions, mon ami, n'est pourtant arrivée !

FIGARO : Le hasard a mieux fait que nous tous,
ma petite : ainsi va le monde ; on travaille, on pro-
jette, on arrange d'un côté ; la fortune accomplit
de l'autre : et depuis l'affamé conquérant qui voudrait avaler la terre, jusqu'au paisible aveugle qui
se laisse mener par son chien, tous sont le jouet de
ses caprices ; encore l'aveugle au chien est-il souvent mieux conduit, moins trompé dans ses vues,
que l'autre aveugle avec son entourage. — Pour
cet aimable aveugle qu'on nomme Amour…

Il la reprend tendrement à bras-le-corps.

SUZANNE : Ah ! c'est le seul qui m'intéresse !

FIGARO : Permets donc que, prenant l'emploi de
la folie[1], je sois le bon chien qui le mène à ta jolie
mignonne porte ; et nous voilà logés pour la vie.

SUZANNE, *riant* : L'Amour et toi ?

FIGARO : Moi et l'Amour.

SUZANNE : Et vous ne chercherez pas d'autre
gîte ?

---

1. La folie est souvent représentée conduisant l'amour. Voir La
Fontaine, *Fables*, XII, XIV, « L'Amour et la Folie ».

FIGARO : Si tu m'y prends, je veux bien que mille millions de galants…

SUZANNE : Tu vas exagérer : dis ta bonne vérité.

FIGARO : Ma vérité la plus vraie !

SUZANNE : Fi donc, vilain ! en a-t-on plusieurs ?

FIGARO : Oh ! que oui. Depuis qu'on a remarqué qu'avec le temps vieilles folies deviennent sagesse, et qu'anciens petits mensonges, assez mal plantés, ont produit de grosses, grosses vérités, on en a de mille espèces ! Et celles qu'on sait, sans oser les divulguer : car toute vérité n'est pas bonne à dire ; et celles qu'on vante, sans y ajouter foi : car toute vérité n'est pas bonne à croire ; et les serments passionnés, les menaces des mères, les protestations des buveurs, les promesses des gens en place, le dernier mot de nos marchands ; cela ne finit pas. Il n'y a que mon amour pour Suzon qui soit une vérité de bon aloi.

SUZANNE : J'aime ta joie, parce qu'elle est folle ; elle annonce que tu es heureux. Parlons du rendez-vous du comte.

FIGARO : Ou plutôt n'en parlons jamais ; il a failli me coûter Suzanne.

SUZANNE : Tu ne veux donc plus qu'il ait lieu ?

FIGARO : Si vous m'aimez, Suzon, votre parole d'honneur sur ce point : qu'il s'y morfonde ; et c'est sa punition.

SUZANNE : Il m'en a plus coûté de l'accorder que je n'ai de peine à le rompre ; il n'en sera plus question.

FIGARO : Ta bonne vérité ?

SUZANNE : Je ne suis pas comme vous autres savants ; moi, je n'en ai qu'une.

FIGARO : Et tu m'aimeras un peu ?

SUZANNE : Beaucoup.

FIGARO : Ce n'est guère.

SUZANNE : Et comment ?

FIGARO : En fait d'amour, vois-tu, trop n'est pas même assez.

SUZANNE : Je n'entends pas toutes ces finesses ; mais je n'aimerai que mon mari.

FIGARO : Tiens parole, et tu feras une belle exception à l'usage.

Il veut l'embrasser.

SCÈNE II

FIGARO, SUZANNE, LA COMTESSE

LA COMTESSE : Ah ! j'avais raison de le dire : en quelque endroit qu'ils soient, croyez qu'ils sont ensemble. Allons donc, Figaro, c'est voler l'avenir, le mariage et vous-même, que d'usurper un tête-à-tête. On vous attend, on s'impatiente.

FIGARO : Il est vrai, madame, je m'oublie. Je vais leur montrer mon excuse.

Il veut emmener Suzanne.

LA COMTESSE *la retient* : Elle vous suit.

SCÈNE III

SUZANNE, LA COMTESSE

LA COMTESSE : As-tu ce qu'il nous faut pour troquer de vêtement ?

SUZANNE : Il ne faut rien, madame ; le rendez-vous ne tiendra pas.

LA COMTESSE : Ah ! vous changez d'avis ?

SUZANNE : C'est Figaro.

LA COMTESSE : Vous me trompez.

SUZANNE : Bonté divine !

LA COMTESSE : Figaro n'est pas homme à laisser échapper une dot.

SUZANNE : Madame ! eh ! que croyez-vous donc ?

LA COMTESSE : Qu'enfin, d'accord avec le comte, il vous fâche à présent de m'avoir confié ses projets. Je vous sais par cœur. Laissez-moi.

Elle veut sortir.

SUZANNE *se jette à genoux* : Au nom du Ciel, espoir de tous ! vous ne savez pas, madame, le mal que vous faites à Suzanne ! après vos bontés continuelles et la dot que vous me donnez !...

LA COMTESSE *la relève* : Hé mais... je ne sais ce que je dis ! En me cédant ta place au jardin, tu n'y vas pas, mon cœur ; tu tiens parole à ton mari ; tu m'aides à ramener le mien.

SUZANNE : Comme vous m'avez affligée !

LA COMTESSE : C'est que je ne suis qu'une étourdie. *(Elle la baise au front.)* Où est ton rendez-vous ?

SUZANNE *lui baise la main* : Le mot de jardin m'a seul frappée.

LA COMTESSE, *montrant la table* : Prends cette plume, et fixons un endroit.

SUZANNE : Lui écrire !

LA COMTESSE : Il le faut.

SUZANNE : Madame ! au moins, c'est vous...

LA COMTESSE : Je mets tout sur mon compte. *(Suzanne s'assied, la comtesse dicte.)* « *Chanson nouvelle, sur l'air :* ... *Qu'il fera beau ce soir sous les grands marronniers... Qu'il fera beau, ce soir...* »

SUZANNE *écrit* : « *Sous les grands marronniers...* » Après ?

LA COMTESSE : Crains-tu qu'il ne t'entende pas ?

SUZANNE *relit* : C'est juste. *(Elle plie le billet.)* Avec quoi cacheter ?

LA COMTESSE : Une épingle, dépêche : elle servira de réponse. Écris sur le revers : « Renvoyez-moi le cachet. »

SUZANNE *écrit en riant* : Ah ! « le cachet » !... Celui-ci, madame, est plus gai que celui du brevet[1].

LA COMTESSE, *avec un souvenir douloureux* : Ah !

SUZANNE *cherche sur elle* : Je n'ai pas d'épingle à présent !

LA COMTESSE *détache sa lévite* : Prends celle-ci. *(Le ruban du page tombe de son sein à terre.)* Ah ! mon ruban !

SUZANNE *le ramasse* : C'est celui du petit voleur ! vous avez eu la cruauté ?...

LA COMTESSE : Fallait-il le laisser à son bras ? c'eût été joli ! Donnez donc !

---

1. Voir acte II, sc. XXI, pp. 131-132.

SUZANNE : Madame ne le portera plus, taché du sang de ce jeune homme.

LA COMTESSE *le reprend* : Excellent pour Fanchette... Le premier bouquet qu'elle m'apportera...

SCÈNE IV

UNE JEUNE BERGÈRE, CHÉRUBIN *en fille,*
FANCHETTE, *et beaucoup de jeunes filles*
habillées comme elle et tenant
des bouquets. LA COMTESSE, SUZANNE

FANCHETTE : Madame, ce sont les filles du bourg qui viennent vous présenter des fleurs.

LA COMTESSE, *serrant vite son ruban* : Elles sont charmantes : je me reproche, mes belles petites, de ne pas vous connaître toutes. *(Montrant Chérubin.)* Quelle est cette aimable enfant qui a l'air si modeste ?

UNE BERGÈRE : C'est une cousine à moi, madame, qui n'est ici que pour la noce.

LA COMTESSE : Elle est jolie. Ne pouvant porter vingt bouquets, faisons honneur à l'étrangère. *(Elle prend le bouquet de Chérubin et le baise au front.)* Elle en rougit ! *(À Suzanne :)* Ne trouves-tu pas, Suzon... qu'elle ressemble à quelqu'un ?

SUZANNE : À s'y méprendre, en vérité.

CHÉRUBIN, *à part, les mains sur son cœur* : Ah ! Ce baiser-là m'a été bien loin !

SCÈNE V

LES JEUNES FILLES, CHÉRUBIN *au milieu d'elles*; FANCHETTE, ANTONIO, LE COMTE, LA COMTESSE, SUZANNE

ANTONIO : Moi je vous dis, Monseigneur, qu'il y est; elles l'ont habillé chez ma fille; toutes ses hardes y sont encore, et voilà son chapeau d'ordonnance que j'ai retiré du paquet. *(Il s'avance, et regardant toutes les filles, il reconnaît Chérubin, lui enlève son bonnet de femme, ce qui fait retomber ses longs cheveux en cadenette[1]. Il lui met sur la tête le chapeau d'ordonnance et dit :)* Eh! parguenne, v'là notre officier.

LA COMTESSE *recule* : Ah! Ciel!

SUZANNE : Ce friponneau[2]!

ANTONIO : Quand je disais là-haut[3] que c'était lui!…

LE COMTE, *en colère* : Eh bien, madame?

LA COMTESSE : Eh bien, monsieur! vous me voyez plus surprise que vous, et, pour le moins, aussi fâchée.

LE COMTE : Oui; mais tantôt, ce matin?

LA COMTESSE : Je serais coupable en effet, si je dissimulais encore. Il était descendu chez moi. Nous entamions le badinage que ces enfants viennent d'achever; vous nous avez surprises l'habillant;

1. *En cadenette*: avec une longue tresse.
2. Le *friponneau*, comme l'indique le diminutif, est un fripon sans envergure.
3. Dans la chambre de la comtesse.

votre premier mouvement est si vif ! il s'est sauvé, je me suis troublée, l'effroi général a fait le reste.

LE COMTE, *avec dépit, à Chérubin* : Pourquoi n'êtes-vous pas parti ?

CHÉRUBIN, *ôtant son chapeau brusquement* : Monseigneur…

LE COMTE : Je punirai ta désobéissance.

FANCHETTE, *étourdiment* : Ah ! Monseigneur, entendez-moi ! Toutes les fois que vous venez m'embrasser, vous savez bien que vous dites toujours : « Si tu veux m'aimer, petite Fanchette, je te donnerai ce que tu voudras. »

LE COMTE, *rougissant* : Moi ! j'ai dit cela ?

FANCHETTE : Oui, Monseigneur. Au lieu de punir Chérubin, donnez-le-moi en mariage, et je vous aimerai à la folie.

LE COMTE, *à part* : Être ensorcelé par un page !

LA COMTESSE : Eh bien, monsieur, à votre tour ; l'aveu de cette enfant, aussi naïf que le mien, atteste enfin deux vérités : que c'est toujours sans le vouloir si je vous cause des inquiétudes, pendant que vous épuisez tout pour augmenter et justifier les miennes.

ANTONIO : Vous aussi, Monseigneur ? Dame ! je vous la redresserai comme feu sa mère[1], qui est morte… Ce n'est pas pour la conséquence ; mais c'est que Madame sait bien que les petites filles, quand elles sont grandes…

LE COMTE, *déconcerté, à part* : Il y a un mauvais génie qui tourne tout ici contre moi !

---

1. « Comme j'ai redressé feu sa mère », plutôt que « comme feu sa mère la redressait ».

SCÈNE VI

LES JEUNES FILLES, CHÉRUBIN, ANTONIO,
FIGARO, LE COMTE, LA COMTESSE, SUZANNE

FIGARO : Monseigneur, si vous retenez nos filles, on ne pourra commencer ni la fête ni la danse.

LE COMTE : Vous, danser ! vous n'y pensez pas. Après votre chute de ce matin, qui vous a foulé le pied droit[1] !

FIGARO, *remuant la jambe* : Je souffre encore un peu ; ce n'est rien. *(Aux jeunes filles :)* Allons, mes belles, allons !

LE COMTE *le retourne* : Vous avez été fort heureux que ces couches ne fussent que du terreau bien doux !

FIGARO : Très heureux, sans doute ; autrement...

ANTONIO *le retourne* : Puis il s'est pelotonné en tombant jusqu'en bas.

FIGARO : Un plus adroit, n'est-ce pas, serait resté en l'air ! *(Aux jeunes filles :)* Venez-vous, mesdemoiselles ?

ANTONIO *le retourne* : Et pendant ce temps, le petit page galopait sur son cheval à Séville ?

FIGARO : Galopait ou marchait au pas !...

LE COMTE *le retourne* : Et vous aviez son brevet dans la poche ?

FIGARO, *un peu étonné* : Assurément, mais quelle enquête ? *(Aux jeunes filles :)* Allons donc, jeunes filles !

ANTONIO, *attirant Chérubin par le bras* : En voici

1. Pour ce début de scène, voir acte II, sc. xxi, p. 131.

une qui prétend que mon neveu futur n'est qu'un menteur.

FIGARO, *surpris* : Chérubin !... *(À part.)* Peste du petit fat[1] !

ANTONIO : Y es-tu maintenant ?

FIGARO, *cherchant* : J'y suis... j'y suis... Hé ! qu'est-ce qu'il chante ?

LE COMTE, *sèchement* : Il ne chante pas ; il dit que c'est lui qui a sauté sur les giroflées.

FIGARO, *rêvant* : Ah ! s'il le dit... cela se peut ; je ne dispute pas de ce que j'ignore.

LE COMTE : Ainsi vous et lui ?...

FIGARO : Pourquoi non ? la rage de sauter peut gagner : voyez les moutons de Panurge[2] ; et quand vous êtes en colère, il n'y a personne qui n'aime mieux risquer...

LE COMTE : Comment, deux à la fois !...

FIGARO : On aurait sauté deux douzaines ; et qu'est-ce que cela fait, Monseigneur, dès qu'il[3] n'y a personne de blessé ? *(Aux jeunes filles :)* Ah çà, voulez-vous venir, ou non ?

LE COMTE, *outré* : Jouons-nous une comédie ?

> *On entend un prélude de fanfare.*

FIGARO : Voilà le signal de la marche. À vos postes, les belles, à vos postes ! Allons, Suzanne, donne-moi le bras.

> *Tous s'enfuient, Chérubin reste seul, la tête baissée.*

---

1. *Fat* : impertinent.
2. Dans *Le Quart Livre* de Rabelais, chap. VIII.
3. Puisque...

SCÈNE VII

CHÉRUBIN, LE COMTE, LA COMTESSE

LE COMTE, *regardant aller Figaro* : En voit-on de plus audacieux ? *(Au page :)* Pour vous, monsieur le sournois, qui faites le honteux, allez vous rhabiller bien vite ; et que je ne vous rencontre nulle part de la soirée.

LA COMTESSE : Il va bien s'ennuyer.

CHÉRUBIN, *étourdiment* : M'ennuyer ! j'emporte à mon front du bonheur pour plus de cent années de prison.

Il met son chapeau et s'enfuit.

SCÈNE VIII

LE COMTE, LA COMTESSE
(La comtesse s'évente fortement sans parler.)

LE COMTE : Qu'a-t-il au front de si heureux ?

LA COMTESSE, *avec embarras* : Son… premier chapeau d'officier, sans doute ; aux enfants tout sert de hochet.

Elle veut sortir.

LE COMTE : Vous ne nous restez pas, comtesse ?

LA COMTESSE : Vous savez que je ne me porte pas bien.

LE COMTE : Un instant pour votre protégée, ou je vous croirais en colère.

LA COMTESSE : Voici les deux noces, asseyons-nous donc pour les recevoir.

LE COMTE, *à part* : La noce ! il faut souffrir ce qu'on ne peut empêcher.

> *Le comte et la comtesse s'assoient vers un des côtés de la galerie.*

SCÈNE IX

LE COMTE, LA COMTESSE, *assis* ;
l'on joue les «Folies d'Espagne»
d'un mouvement de marche.
(Symphonie notée.)

MARCHE

LES GARDES-CHASSE, *fusil sur l'épaule.*

L'ALGUAZIL, LES PRUD'HOMMES, BRID'OISON.

LES PAYSANS ET PAYSANNES, *en habits de fête.*

DEUX JEUNES FILLES *portant la toque virginale à plumes blanches* ;

DEUX AUTRES, *le voile blanc* ;

DEUX AUTRES, *les gants et le bouquet de côté.*

ANTONIO *donne la main à* SUZANNE, *comme étant celui qui la marie à* FIGARO.

D'AUTRES JEUNES FILLES *portent une autre toque, un autre voile, un autre bouquet blanc, semblables aux premiers, pour* MARCELINE.

Figaro donne la main à Marceline, comme celui qui

*doit la remettre au docteur, lequel ferme la marche, un
gros bouquet au côté. Les jeunes filles, en passant
devant le comte, remettent à ses valets tous les ajuste-
ments destinés à Suzanne et à Marceline.*

*Les Paysans et Paysannes s'étant rangés sur deux
colonnes à chaque côté du salon, on danse une reprise
du fandango (air noté) avec des castagnettes; puis on
joue la ritournelle du duo, pendant laquelle Antonio conduit Suzanne au comte; elle se met à genoux
devant lui.*

*Pendant que le comte lui pose la toque, le voile, et lui
donne le bouquet, deux jeunes filles chantent le duo suivant (air noté) :*

Jeune épouse, chantez les bienfaits et la gloire
D'un maître qui renonce aux droits qu'il eut sur
                                       [vous :
Préférant au plaisir la plus noble victoire,
Il vous rend chaste et pure aux mains de votre
                                       [époux.

*Suzanne est à genoux, et, pendant les derniers vers
du duo, elle tire le comte par son manteau et lui montre
le billet qu'elle tient; puis elle porte la main qu'elle a du
côté des spectateurs à sa tête, où le comte a l'air d'ajuster
sa toque; elle lui donne le billet.*

*Le comte le met furtivement dans son sein; on achève
de chanter le duo; la fiancée se relève et lui fait une
grande révérence.*

*Figaro vient la recevoir des mains du comte et se retire
avec elle, à l'autre côté du salon, près de Marceline.*

*(On danse une autre reprise du fandango, pendant
ce temps.)*

Le comte, pressé de lire ce qu'il a reçu, s'avance au bord du théâtre et tire le papier de son sein; mais en le sortant il fait le geste d'un homme qui s'est cruellement piqué le doigt; il le secoue, le presse, le suce, et regardant le papier cacheté d'une épingle, il dit :

LE COMTE *(Pendant qu'il parle, ainsi que Figaro, l'orchestre joue pianissimo.)* : Diantre soit des femmes, qui fourrent des épingles partout! *(Il la jette à terre, puis il lit le billet et le baise.)*

FIGARO, *qui a tout vu, dit à sa mère et à Suzanne* : C'est un billet doux, qu'une fillette aura glissé dans sa main en passant. Il était cacheté d'une épingle, qui l'a outrageusement piqué. *(La danse reprend : le comte qui a lu le billet le retourne; il y voit l'invitation de renvoyer le cachet pour réponse. Il cherche à terre et retrouve enfin l'épingle qu'il attache à sa manche.)*

FIGARO, *à Suzanne et à Marceline* : D'un objet aimé tout est cher. Le voilà qui ramasse l'épingle. Ah, c'est une drôle de tête ! *(Pendant ce temps, Suzanne a des signes d'intelligence avec la comtesse. La danse finit, la ritournelle du duo recommence.)*

FIGARO *conduit Marceline au comte, ainsi qu'on a conduit Suzanne; à l'instant où le comte prend la toque et où l'on va chanter le duo, on est interrompu par les cris suivants :*

L'HUISSIER, *criant à la porte* : Arrêtez donc, messieurs ! vous ne pouvez entrer tous… Ici les gardes, les gardes !

Les gardes vont vite à cette porte.

LE COMTE, *se levant* : Qu'est-ce qu'il y a ?

L'HUISSIER : Monseigneur, c'est monsieur Bazile,

entouré d'un village entier, parce qu'il chante en marchant.

LE COMTE : Qu'il entre seul.

LA COMTESSE : Ordonnez-moi de me retirer.

LE COMTE : Je n'oublie pas votre complaisance.

LA COMTESSE : Suzanne !… elle reviendra. *(À part, à Suzanne :)* Allons changer d'habits.

Elle sort avec Suzanne.

MARCELINE : Il n'arrive jamais que pour nuire.

FIGARO : Ah ! je m'en vais vous le faire déchanter !

SCÈNE X

TOUS LES ACTEURS PRÉCÉDENTS, *excepté* LA COMTESSE *et* SUZANNE ; BAZILE *tenant sa guitare* ; GRIPPE-SOLEIL

BAZILE *entre en chantant sur l'air du vaudeville de la fin (air noté)* :

> Cœurs sensibles, cœurs fidèles,
> Qui blâmez l'amour léger,
> Cessez vos plaintes cruelles :
> Est-ce un crime de changer ?
> Si l'Amour porte des ailes,
> N'est-ce pas pour voltiger ?
> N'est-ce pas pour voltiger ?
> N'est-ce pas pour voltiger ?

FIGARO *s'avance à lui* : Oui, c'est pour cela justement qu'il a des ailes au dos ; notre ami, qu'entendez-vous par cette musique ?

BAZILE, *montrant Grippe-Soleil* : Qu'après avoir
prouvé mon obéissance à Monseigneur en amu-
sant Monsieur, qui est de sa compagnie[1], je pourrai, à mon tour, réclamer sa justice.

GRIPPE-SOLEIL : Bah ! Monsigneu, il ne m'a pas
amusé du tout : avec leux guenilles d'ariettes...

LE COMTE : Enfin que demandez-vous, Bazile ?

BAZILE : Ce qui m'appartient, Monseigneur, la
main de Marceline ; et je viens m'opposer...

FIGARO *s'approche* : Y a-t-il longtemps que Monsieur n'a vu la figure d'un fou ?

BAZILE : Monsieur, en ce moment même.

FIGARO : Puisque mes yeux vous servent si bien
de miroir, étudiez-y l'effet de ma prédiction.
Si vous faites mine seulement d'approximer[2]
Madame...

BARTHOLO, *en riant* : Eh pourquoi ? laisse-le
parler.

BRID'OISON *s'avance entre deux* : Fau-aut-il que
deux amis ?...

FIGARO : Nous, amis !

BAZILE : Quelle erreur !

FIGARO, *vite* : Parce qu'il fait de plats airs de cha-
pelle ?

BAZILE, *vite* : Et lui, des vers comme un journal ?

FIGARO, *vite* : Un musicien de guinguette !

---

1. Bazile reprend les paroles mêmes du comte ; voir acte II,
sc. XXII, p. 135.
2. *Approximer* : approcher ; ce verbe n'était employé d'ordinaire
que dans le langage scientifique.

BAZILE, *vite* : Un postillon de gazette !

FIGARO, *vite* : Cuistre d'oratorio !

BAZILE, *vite* : Jockey diplomatique[1] !

LE COMTE, *assis* : Insolents tous les deux !

BAZILE : Il me manque en toute occasion.

FIGARO : C'est bien dit, si cela se pouvait[2] !

BAZILE : Disant partout que je ne suis qu'un sot.

FIGARO : Vous me prenez donc pour un écho ?

BAZILE : Tandis qu'il n'est pas un chanteur que mon talent n'ait fait briller.

FIGARO : Brailler.

BAZILE : Il le répète !

FIGARO : Et pourquoi non, si cela est vrai ? es-tu un prince, pour qu'on te flagorne ? souffre la vérité, coquin ! puisque tu n'as pas de quoi gratifier un menteur ; ou si tu la crains de notre part, pourquoi viens-tu troubler nos noces ?

BAZILE, *à Marceline* : M'avez-vous promis, oui ou non, si dans quatre ans vous n'étiez pas pourvue, de me donner la préférence ?

MARCELINE : À quelle condition l'ai-je promis ?

BAZILE : Que si vous retrouviez un certain fils perdu, je l'adopterais par complaisance.

TOUS ENSEMBLE : Il est trouvé.

BAZILE : Qu'à cela ne tienne !

TOUS ENSEMBLE, *montrant Figaro* : Et le voici.

BAZILE, *reculant de frayeur* : J'ai vu le diable !

---

1. *Jockey*, récent dans le langage (1776), a soit le sens actuel, soit le sens de « jeune domestique ». C'est le premier sens ici, puisque Figaro doit être nommé « courrier des dépêches » (voir acte I, sc. II, p. 68).

2. Figaro joue bien évidemment sur le double sens de *manquer*.

BRID'OISON, *à Bazile* : Et vou-ous renoncez à sa chère mère !

BAZILE : Qu'y aurait-il de plus fâcheux que d'être cru le père d'un garnement ?

FIGARO : D'en être cru le fils ; tu te moques de moi !

BAZILE, *montrant Figaro* : Dès que Monsieur est de quelque chose ici, je déclare, moi, que je n'y suis plus de rien.

Il sort.

SCÈNE XI

LES ACTEURS PRÉCÉDENTS, *excepté* BAZILE

BARTHOLO, *riant* : Ah ! ah ! ah ! ah !

FIGARO, *sautant de joie* : Donc à la fin j'aurai ma femme !

LE COMTE, *à part* : Moi, ma maîtresse.

Il se lève.

BRID'OISON, *à Marceline* : Et tou-out le monde est satisfait.

LE COMTE : Qu'on dresse les deux contrats ; j'y signerai.

TOUS ENSEMBLE : Vivat !

Ils sortent.

LE COMTE : J'ai besoin d'une heure de retraite.

Il veut sortir avec les autres.

SCÈNE XII

GRIPPE-SOLEIL, FIGARO, MARCELINE,
LE COMTE

GRIPPE-SOLEIL, *à Figaro* : Et moi, je vas aider à ranger le feu d'artifice[1] sous les grands marronniers, comme on l'a dit.

LE COMTE *revient en courant* : Quel sot a donné un tel ordre ?

FIGARO : Où est le mal ?

LE COMTE, *vivement* : Et la comtesse qui est incommodée, d'où le verra-t-elle, l'artifice ? C'est sur la terrasse qu'il le faut, vis-à-vis son appartement.

FIGARO : Tu l'entends, Grippe-Soleil ? la terrasse.

LE COMTE : Sous les grands marronniers ! belle idée ! *(En s'en allant, à part.)* Ils allaient incendier mon rendez-vous[2] !

SCÈNE XIII

FIGARO, MARCELINE

FIGARO : Quel excès d'attention pour sa femme !

Il veut sortir.

---

1. *À ranger le feu d'artifice* : à en disposer les pièces.
2. *Rendez-vous* désigne ici le lieu où l'on doit se rendre.

MARCELINE *l'arrête* : Deux mots, mon fils. Je veux m'acquitter avec toi[1] : un sentiment mal dirigé m'avait rendue injuste envers ta charmante femme : je la supposais d'accord avec le comte, quoique j'eusse appris de Bazile qu'elle l'avait toujours rebuté.

FIGARO : Vous connaissiez mal votre fils, de le croire ébranlé par ces impulsions[2] féminines. Je puis défier la plus rusée de m'en faire accroire.

MARCELINE : Il est toujours heureux de le penser, mon fils ; la jalousie…

FIGARO : … N'est qu'un sot enfant de l'orgueil, ou c'est la maladie d'un fou. Oh ! j'ai là-dessus, ma mère, une philosophie… imperturbable ; et si Suzanne doit me tromper un jour, je lui pardonne d'avance ; elle aura longtemps travaillé…

> *Il se retourne et aperçoit Fanchette qui cherche de côté et d'autre.*

SCÈNE XIV

FIGARO, FANCHETTE, MARCELINE

FIGARO : Eeeh…, ma petite cousine qui nous écoute !

---

1. Entendre : libérer ma conscience à ton égard de ses mauvaises pensées concernant Suzanne.
2. *Impulsion* : au sens figuré, instigation par laquelle on pousse quelqu'un à faire quelque chose. Figaro veut dire que les femmes n'influent en rien sur sa conduite.

FANCHETTE : Oh ! pour ça, non : on dit que c'est malhonnête.

FIGARO : Il est vrai ; mais comme cela est utile, on fait aller souvent l'un pour l'autre.

FANCHETTE : Je regardais si quelqu'un était là.

FIGARO : Déjà dissimulée, friponne ! Vous savez bien qu'il n'y peut être.

FANCHETTE : Et qui donc ?

FIGARO : Chérubin.

FANCHETTE : Ce n'est pas lui que je cherche, car je sais fort bien où il est ; c'est ma cousine Suzanne.

FIGARO : Et que lui veut ma petite cousine ?

FANCHETTE : À vous, petit cousin, je le dirai. C'est... ce n'est qu'une épingle que je veux lui remettre.

FIGARO, *vivement* : Une épingle ! une épingle !... et de quelle part, coquine ? à votre âge, vous faites déjà un mét... *(Il se reprend, et dit d'un ton doux.)* Vous faites déjà très bien tout ce que vous entreprenez, Fanchette ; et ma jolie cousine est si obligeante...

FANCHETTE : À qui donc en a-t-il de se fâcher ? Je m'en vais.

FIGARO, *l'arrêtant* : Non, non, je badine ; tiens, ta petite épingle est celle que Monseigneur t'a dit de remettre à Suzanne, et qui servait à cacheter un petit papier qu'il tenait ; tu vois que je suis au fait.

FANCHETTE : Pourquoi donc le demander, quand vous le savez si bien ?

FIGARO, *cherchant* : C'est qu'il est assez gai de savoir comment Monseigneur s'y est pris pour te donner la commission.

FANCHETTE, *naïvement* : Pas autrement que vous ne dites : « Tiens, petite Fanchette, rends cette épingle à ta belle cousine, et dis-lui seulement que c'est le cachet des grands marronniers. »

FIGARO : « Des grands... » ?

FANCHETTE : « Marronniers. » Il est vrai qu'il a ajouté : « Prends garde que personne ne te voie. »

FIGARO : Il faut obéir, ma cousine : heureusement personne ne vous a vue. Faites donc joliment votre commission ; et n'en dites pas plus à Suzanne que Monseigneur n'a ordonné.

FANCHETTE : Et pourquoi lui en dirais-je ? il me prend pour un enfant[1], mon cousin.

Elle sort en sautant.

SCÈNE XV

FIGARO, MARCELINE

FIGARO : Eh bien, ma mère ?

MARCELINE : Eh bien, mon fils ?

FIGARO, *comme étouffé* : Pour celui-ci[2] !... il y a réellement des choses... !

MARCELINE : Il y a des choses ! hé, qu'est-ce qu'il y a ?

FIGARO, *les mains sur la poitrine* : Ce que je viens d'entendre, ma mère, je l'ai là comme un plomb.

---

1. Au XVIIIᵉ siècle, pour désigner une petite fille, on écrivait indifféremment *un* ou *une* enfant.
2. Pour ceci !...

MARCELINE, *riant* : Ce cœur plein d'assurance n'était donc qu'un ballon gonflé ? une épingle a tout fait partir !

FIGARO, *furieux* : Mais cette épingle, ma mère, est celle qu'il a ramassée !…

MARCELINE, *rappelant ce qu'il a dit* : « La jalousie ! oh ! j'ai là-dessus, ma mère, une philosophie… imperturbable ; et si Suzanne m'attrape un jour, je le lui pardonne… »

FIGARO, *vivement* : Oh ! ma mère ! on parle comme on sent : mettez le plus glacé des juges à plaider dans sa propre cause, et voyez-le expliquer la loi ! Je ne m'étonne plus s'il avait tant d'humeur sur ce feu[1] ! Pour la mignonne aux fines épingles, elle n'en est pas où elle le croit, ma mère, avec ses marronniers ! Si mon mariage est assez fait pour légitimer ma colère, en revanche, il ne l'est pas assez pour que je n'en puisse épouser une autre, et l'abandonner…

MARCELINE : Bien conclu ! abîmons tout sur un soupçon. Qui t'a prouvé, dis-moi, que c'est toi qu'elle joue, et non le comte ? L'as-tu étudiée de nouveau, pour la condamner sans appel ? Sais-tu si elle se rendra sous les arbres ? à quelle intention elle y va ? ce qu'elle y dira, ce qu'elle y fera ? Je te croyais plus fort en jugement !

FIGARO, *lui baisant la main avec respect* : Elle a raison, ma mère, elle a raison, raison, toujours raison ! Mais accordons, maman, quelque chose à la nature ; on en vaut mieux après. Examinons en

1. Voir la scène XII, p. 196.

effet avant d'accuser et d'agir. Je sais où est le rendez-vous. Adieu, ma mère.

Il sort.

SCÈNE XVI

MARCELINE, *seule.*

Adieu; et moi aussi, je le sais. Après l'avoir
arrêté, veillons sur les voies[1] de Suzanne; ou plutôt avertissons-la; elle est si jolie créature! Ah!
quand l'intérêt personnel ne nous arme pas les
unes contre les autres, nous sommes toutes por-
tées à soutenir notre pauvre sexe opprimé, contre
ce fier, ce terrible... *(en riant)* et pourtant un peu
nigaud de sexe masculin.

Elle sort.

FIN DU QUATRIÈME ACTE

1. Les *voies* : ici les moyens, honnêtes ou malhonnêtes, dont
on use.

ACTE V

Le théâtre représente une salle[1] de marronniers, dans un parc; deux pavillons, kiosques, ou temples de jardin, sont à droite et à gauche; le fond est une clarière[2] ornée; un siège de gazon sur le devant. Le théâtre est obscur.

SCÈNE PREMIÈRE

FANCHETTE, *seule, tenant d'une main deux biscuits et une orange, et de l'autre une lanterne de papier allumée.*

Dans le pavillon à gauche, a-t-il dit. C'est celui-ci. S'il allait ne pas venir à présent! mon petit rôle[3]... Ces vilaines gens de l'office qui ne voulaient pas seulement me donner une orange et

---

1. *Salle*: « Un lieu planté d'arbres qui forment une espèce de salle dans un jardin » *(Académie)*.
2. *Clarière* est une vieille forme, que l'on trouve aussi chez La Fontaine.
3. Voir acte I, sc. VII, p. 77.

deux biscuits! « Pour qui, mademoiselle? — Eh
bien, monsieur, c'est pour quelqu'un. — Oh!
nous savons. » Et quand ça serait? parce que Monseigneur ne veut pas le voir, faut-il qu'il meure de
faim? Tout ça pourtant m'a coûté un fier baiser
sur la joue!... Que sait-on? il me le rendra peut-
être. *(Elle voit Figaro qui vient l'examiner; elle fait un
cri.)* Ah!...

> *Elle s'enfuit, et elle entre dans le pavillon
> à sa gauche.*

SCÈNE II

FIGARO, *un grand manteau sur les
épaules*[1], *un large chapeau rabattu;*
BAZILE, ANTONIO, BARTHOLO, BRID'OISON,
GRIPPE-SOLEIL, TROUPE DE VALETS
ET DE TRAVAILLEURS

FIGARO, *d'abord seul*: C'est Fanchette! *(Il parcourt
des yeux les autres à mesure qu'ils arrivent, et dit d'un
ton farouche.)* Bonjour, messieurs; bonsoir; êtes-
vous tous ici?

BAZILE: Ceux que tu as pressés d'y venir.

FIGARO: Quelle heure est-il bien à peu près?

ANTONIO *regarde en l'air*: La lune devrait être
levée.

BARTHOLO: Eh! quels noirs apprêts fais-tu donc?
Il a l'air d'un conspirateur!

---

1. D'après l'édition d'Amsterdam, ce manteau est rouge.

FIGARO, *s'agitant* : N'est-ce pas pour une noce, je vous prie, que vous êtes rassemblés au château ?

BRID'OISON : Cè-ertainement.

ANTONIO : Nous allions là-bas, dans le parc, attendre un signal pour ta fête.

FIGARO : Vous n'irez pas plus loin, messieurs ; c'est ici, sous ces marronniers, que nous devons tous célébrer l'honnête fiancée que j'épouse, et le loyal seigneur qui se l'est destinée.

BAZILE, *se rappelant la journée* : Ah ! vraiment, je sais ce que c'est. Retirons-nous, si vous m'en croyez : il est question d'un rendez-vous ; je vous conterai cela près d'ici.

BRID'OISON, *à Figaro* : Nou-ous reviendrons.

FIGARO : Quand vous m'entendrez appeler, ne manquez pas d'accourir tous, et dites du mal de Figaro s'il ne vous fait voir une belle chose.

BARTHOLO : Souviens-toi qu'un homme sage ne se fait point d'affaires avec les grands.

FIGARO : Je m'en souviens.

BARTHOLO : Qu'ils ont quinze et bisque sur nous[1], par leur état.

FIGARO : Sans leur industrie[2], que vous oubliez. Mais souvenez-vous aussi que l'homme qu'on sait timide[3] est dans la dépendance de tous les fripons.

BARTHOLO : Fort bien.

---

1. « *Avoir quinze et bisque sur la partie* : avoir un grand avantage pour le succès d'une affaire » *(Académie)*. L'expression est empruntée au jeu de paume : le *quinze* est un des quatre coups ; la *bisque* l'avantage qu'un des joueurs donne à l'autre.

2. *Sans leur industrie* : sans compter leur dextérité, leur adresse à faire quelque chose.

3. *Timide* : craintif.

FIGARO : Et que j'ai nom de Verte-Allure, du chef honoré de ma mère[1].

BARTHOLO : Il a le diable au corps.

BRID'OISON : I-il l'a.

BAZILE, *à part* : Le comte et sa Suzanne se sont arrangés sans moi? Je ne suis pas fâché de l'algarade[2].

FIGARO, *aux valets* : Pour vous autres, coquins, à qui j'ai donné l'ordre, illuminez-moi ces entours; ou, par la mort que je voudrais tenir aux dents, si j'en saisis un par le bras...

Il secoue le bras de Grippe-Soleil.

GRIPPE-SOLEIL *s'en va en criant et pleurant* : A, a, o, oh! Damné brutal!

BAZILE, *en s'en allant* : Le Ciel vous tienne en joie, monsieur du marié!

Ils sortent.

SCÈNE III

FIGARO *seul, se promenant dans l'obscurité, dit du ton le plus sombre* :

Ô Femme! femme! femme! créature faible et décevante!... nul animal[3] créé ne peut manquer

---

1. Sur « de Verte-Allure », voir acte III, sc. xv, p. 159. *Du chef de* est une expression juridique : « Il a eu cette terre du chef de sa femme » (*Académie*, 1798).
2. *Algarade* : insulte faite avec bravade.
3. Nul être animé ; le mot a le même sens à la fin du monologue.

à son instinct; le tien est-il donc de tromper?...
Après m'avoir obstinément refusé quand je l'en
pressais devant sa maîtresse[1]; à l'instant qu'elle
me donne sa parole; au milieu même de la cérémonie... Il riait en lisant, le perfide! et moi
comme un benêt[2]!... Non, monsieur le comte,
vous ne l'aurez pas... vous ne l'aurez pas. Parce
que vous êtes un grand seigneur, vous vous croyez
un grand génie!... noblesse, fortune, un rang,
des places; tout cela rend si fier! Qu'avez-vous
fait pour tant de biens? vous vous êtes donné la
peine de naître, et rien de plus. Du reste, homme
assez ordinaire! tandis que moi, morbleu! perdu
dans la foule obscure, il m'a fallu déployer plus
de science et de calculs pour subsister seulement,
qu'on n'en a mis depuis cent ans à gouverner
toutes les Espagnes; et vous voulez jouter[3]... On
vient... c'est elle... ce n'est personne. La nuit est
noire en diable, et me voilà faisant le sot métier
de mari, quoique je ne le sois qu'à moitié! *(Il s'assied sur un banc[4].)* Est-il rien de plus bizarre que
ma destinée! fils de je ne sais pas qui; volé par
des bandits[5], élevé dans leurs mœurs, je m'en
dégoûte et veux courir une carrière honnête; et
partout je suis repoussé! J'apprends la chimie, la
pharmacie, la chirurgie, et tout le crédit d'un

1. Voir acte II, sc. ii, p. 100.
2. Voir acte IV, sc. ix; Figaro pense à sa réplique : «C'est un
billet doux [...] » (p. 191).
3. *Jouter* : au sens propre, combattre avec des lances.
4. Édition d'Amsterdam : *Il s'assied sur un banc de gazon et ôte son
manteau ainsi que son chapeau. Après avoir paru quelque temps plongé
dans ses réflexions, il rompt le silence.*
5. Voir acte III, sc. xvi, p. 167.

grand seigneur peut à peine me mettre à la main
une lancette vétérinaire[1] ! Las d'attrister des bêtes
malades, et pour faire un métier contraire, je me
jette à corps perdu dans le théâtre ; me fussé-je
mis une pierre au cou ! Je broche une comédie
dans les mœurs du sérail ; auteur espagnol, je
crois pouvoir y fronder Mahomet sans scrupule :
à l'instant un envoyé... de je ne sais où se plaint
que j'offense dans mes vers la Sublime Porte[2], la
Perse, une partie de la presqu'île de l'Inde, toute
l'Égypte, les royaumes de Barca, de Tripoli, de
Tunis, d'Alger et de Maroc : et voilà ma comédie
flambée, pour plaire aux princes mahométans,
dont pas un, je crois, ne sait lire, et qui nous
meurtrissent l'omoplate, en nous disant : « chiens
de chrétiens » ! Ne pouvant avilir l'esprit, on se
venge en le maltraitant. Mes joues creusaient[3] ;
mon terme était échu ; je voyais de loin arriver
l'affreux recors[4], la plume fichée dans sa perruque ; en frémissant je m'évertue. Il s'élève une
question sur la nature des richesses ; et comme il
n'est pas nécessaire de tenir les choses pour en
raisonner, n'ayant pas un sou, j'écris sur la valeur
de l'argent et sur son produit net[5] ; sitôt je vois,
du fond d'un fiacre, baisser pour moi le pont

---

1. Voir *Le Barbier de Séville*, acte I, sc. II.
2. La Turquie ; le royaume de Barca est l'actuelle Cyrénaïque.
3. Cet emploi non pronominal du verbe est très rare.
4. *Recors* : « Celui qu'un sergent amène avec lui pour servir de
témoin [...] et pour lui prêter main-forte en cas de besoin » *(Académie)*.
5. La notion de *produit net* était familière aux économistes du
XVIIIe siècle, et particulièrement à Quesnay et à tous les physio-
crates.

d'un château fort, à l'entrée duquel je laissai l'espérance[1] et la liberté. *(Il se lève.)* Que je voudrais bien tenir un de ces puissants de quatre jours, si légers sur le mal qu'ils ordonnent, quand une bonne disgrâce a cuvé son orgueil! je lui dirais... que les sottises imprimées n'ont d'importance qu'aux lieux où l'on en gêne le cours; que sans la liberté de blâmer, il n'est point d'éloge flatteur; et qu'il n'y a que les petits hommes qui redoutent les petits écrits[2]. *(Il se rassied.)* Las de nourrir un obscur pensionnaire, on me met un jour dans la rue; et comme il faut dîner, quoiqu'on ne soit plus en prison, je taille encore ma plume et demande à chacun de quoi il est question : on me dit que pendant ma retraite économique, il s'est établi dans Madrid un système de liberté sur la vente des productions[3], qui s'étend même à celles de la presse; et que, pourvu que je ne parle en mes écrits, ni de l'autorité, ni du culte, ni de la politique, ni de la morale, ni des gens en place, ni des corps en crédit, ni de l'opéra, ni des autres spectacles, ni de personne qui tienne à quelque chose, je puis tout imprimer librement, sous l'inspection de deux ou trois censeurs. Pour profiter de cette douce liberté, j'annonce un écrit périodique, et croyant n'aller sur les brisées d'aucun

---

1. Souvenir évident du vers de Dante dans *La Divine Comédie* : «*Lasciate ogni speranza, voi ch'entrate*» («Laissez toute espérance, vous qui entrez»; *L'Enfer*, chant III, v. 9). Beaumarchais évoque, et la Bastille, et le For-l'Évêque, où il avait été emprisonné en 1773.

2. Ce passage est repris dans la Préface et commenté; voir p. 47.

3. Allusion à la doctrine du *laissez-faire, laissez-passer* des partisans de l'économie libérale.

autre, je le nomme *Journal inutile*. Pou-ou ! je vois
s'élever contre moi mille pauvres diables à la
feuille[1] ; on me supprime ; et me voilà derechef
sans emploi ! Le désespoir m'allait saisir ; on
pense à moi pour une place, mais par malheur j'y
étais propre : il fallait un calculateur, ce fut un
danseur qui l'obtint. Il ne me restait plus qu'à
voler ; je me fais banquier de pharaon : alors,
bonnes gens ! je soupe en ville, et les personnes
dites « comme il faut » m'ouvrent poliment leur
maison, en retenant pour elles les trois quarts du
profit. J'aurais bien pu me remonter ; je commen-
çais même à comprendre que pour gagner du
bien, le savoir-faire vaut mieux que le savoir. Mais
comme chacun pillait autour de moi, en exigeant
que je fusse honnête, il fallut bien périr encore.
Pour le coup je quittais le monde, et, vingt
brasses[2] d'eau m'en allaient séparer, lorsqu'un
dieu bienfaisant m'appelle à mon premier état. Je
reprends ma trousse[3] et mon cuir anglais ; puis,
laissant la fumée aux sots qui s'en nourrissent, et
la honte au milieu du chemin comme trop lourde
à un piéton, je vais rasant de ville en ville, et je
vis enfin sans souci. Un grand seigneur passe à
Séville ; il me reconnaît, je le marie ; et pour prix
d'avoir eu par mes soins son épouse, il veut inter-

1. L'auteur évoque les *feuillistes*, qui publient des feuilles ou y
travaillent ; les feuilles étaient le plus souvent périodiques : le *Journal inutile* en était donc une.
2. La brasse, qui valait cinq pieds, équivalait à un mètre
soixante.
3. *Trousse* : étui du barbier. Le *cuir* est la bande de cuir qui sert
à donner le fil au rasoir.

cepter la mienne ! intrigue, orage à ce sujet. Prêt à tomber dans un abîme, au moment d'épouser ma mère, mes parents m'arrivent à la file. *(Il se lève en s'échauffant.)* On se débat ; c'est vous, c'est lui, c'est moi, c'est toi ; non, ce n'est pas nous ; eh ! mais qui donc ? *(Il retombe assis.)* Ô bizarre suite d'événements ! Comment cela m'est-il arrivé ? Pourquoi ces choses et non pas d'autres ? Qui les a fixées sur ma tête ? Forcé de parcourir la route où je suis entré sans le savoir, comme j'en sortirai sans le vouloir, je l'ai jonchée d'autant de fleurs que ma gaieté me l'a permis ; encore je dis ma gaieté, sans savoir si elle est à moi plus que le reste, ni même quel est ce Moi dont je m'occupe : un assemblage informe de parties inconnues ; puis un chétif être imbécile[1] ; un petit animal folâtre ; un jeune homme ardent au plaisir, ayant tous les goûts pour jouir, faisant tous les métiers pour vivre ; maître ici, valet là, selon qu'il plaît à la fortune ! ambitieux par vanité, laborieux par nécessité ; mais paresseux... avec délices ! orateur selon le danger ; poète par délassement ; musicien par occasion ; amoureux par folles bouffées ; j'ai tout vu, tout fait, tout usé. Puis l'illusion s'est détruite, et, trop désabusé... Désabusé !... Suzon, Suzon, Suzon ! que tu me donnes de tourments[2] !... J'entends marcher... on vient. Voici l'instant de la crise[3].

---

1. *Chétif* a le sens de vil, méprisable ; *imbécile*, dont l'esprit est faible, qui n'a pas encore de raison.

2. Édition d'Amsterdam : *Il se laisse aller sur le banc et demeure enseveli dans la plus profonde douleur.* / MARCELINE : *C'est par ici.* / FIGARO : *On vient. (Il remet vite son chapeau et son manteau.)*

3. Le mot *crise* est fréquent et important chez Beaumarchais. « On dit figurément qu'*une affaire est dans sa crise* pour dire qu'elle

> *Il se retire près de la première coulisse à sa droite.*

SCÈNE IV

FIGARO, LA COMTESSE *avec les habits de Suzon*; SUZANNE *avec ceux de la comtesse*; MARCELINE

SUZANNE, *bas à la comtesse* : Oui, Marceline m'a dit que Figaro y serait.

MARCELINE : Il y est aussi ; baisse la voix.

SUZANNE : Ainsi l'un nous écoute et l'autre va venir me chercher ; commençons.

MARCELINE : Pour n'en pas perdre un mot, je vais me cacher dans le pavillon.

> *Elle entre dans le pavillon où est entrée Fanchette.*

SCÈNE V

FIGARO, LA COMTESSE, SUZANNE

SUZANNE, *haut* : Madame tremble ! est-ce qu'elle aurait froid ?

LA COMTESSE, *haut* : La soirée est humide, je vais me retirer.

---

est sur le point d'être décidée, de manière ou d'autre » *(Académie)*. C'est ici exactement la valeur du mot : on approche du dénouement.

SUZANNE, *haut* : Si Madame n'avait pas besoin de moi, je prendrais l'air un moment, sous ces arbres.

LA COMTESSE, *haut* : C'est le serein que tu prendras.

SUZANNE, *haut* : J'y suis toute faite.

FIGARO, *à part* : Ah ! oui, le serein !

> *Suzanne se retire près de la coulisse, du côté opposé à Figaro.*

SCÈNE VI

FIGARO, CHÉRUBIN, LE COMTE, LA COMTESSE, SUZANNE

Figaro et Suzanne retirés de chaque côté sur le devant.

CHÉRUBIN, *en habit d'officier, arrive en chantant gaiement la reprise de l'air de la romance* : La, la, la, etc.

> J'avais une marraine,
> Que toujours adorai[1].

LA COMTESSE, *à part* : Le petit page !

CHÉRUBIN *s'arrête* : On se promène ici ; gagnons vite mon asile, où la petite Fanchette… C'est une femme !

---

1. Reprise du cinquième couplet de la romance ; voir acte II, sc. IV.

LA COMTESSE *écoute* : Ah grands dieux !

CHÉRUBIN *se baisse en regardant de loin* : Me trompé-je ? à cette coiffure en plumes qui se dessine au loin dans le crépuscule, il me semble que c'est Suzon.

LA COMTESSE, *à part* : Si le comte arrivait !...

> *Le comte paraît dans le fond.*

CHÉRUBIN *s'approche et prend la main de la comtesse, qui se défend* : Oui, c'est la charmante fille qu'on nomme Suzanne : eh ! pourrais-je m'y méprendre à la douceur de cette main, à ce petit tremblement qui l'a saisie, surtout au battement de son cœur !

> *Il veut y appuyer le dos de la main de la comtesse ; elle la retire.*

LA COMTESSE, *bas* : Allez-vous-en.

CHÉRUBIN : Si la compassion t'avait conduite exprès dans cet endroit du parc où je suis caché depuis tantôt ?...

LA COMTESSE : Figaro va venir.

LE COMTE, *s'avançant, dit à part* : N'est-ce pas Suzanne que j'aperçois ?

CHÉRUBIN, *à la comtesse* : Je ne crains point du tout Figaro, car ce n'est pas lui que tu attends.

LA COMTESSE : Qui donc ?

LE COMTE, *à part* : Elle est avec quelqu'un.

CHÉRUBIN : C'est Monseigneur, friponne, qui t'a demandé ce rendez-vous ce matin, quand j'étais derrière le fauteuil[1].

---

1. Voir acte I, sc. VIII.

LE COMTE, *à part, avec fureur* : C'est encore le page infernal !

FIGARO, *à part* : On dit qu'il ne faut pas écouter !

SUZANNE, *à part* : Petit bavard !

LA COMTESSE, *au page* : Obligez-moi de vous retirer.

CHÉRUBIN : Ce ne sera pas au moins sans avoir reçu le prix de mon obéissance.

LA COMTESSE, *effrayée* : Vous prétendez ?…

CHÉRUBIN, *avec feu* : D'abord vingt baisers, pour ton compte, et puis cent pour ta belle maîtresse.

LA COMTESSE : Vous oseriez ?

CHÉRUBIN : Oh ! que oui, j'oserai ; tu prends sa place auprès de Monseigneur ; moi celle du comte auprès de toi ; le plus attrapé, c'est Figaro.

FIGARO, *à part* : Ce brigandeau !

SUZANNE, *à part* : Hardi comme un page.

> *Chérubin veut embrasser la comtesse ; le comte se met entre deux et reçoit le baiser.*

LA COMTESSE, *se retirant* : Ah ! Ciel !

FIGARO, *à part, entendant le baiser* : J'épousais une jolie mignonne !

> *Il écoute.*

CHÉRUBIN, *tâtant les habits du comte ; à part* : C'est Monseigneur !

> *Il s'enfuit dans le pavillon où sont entrées Fanchette et Marceline.*

SCÈNE VII

FIGARO, LE COMTE, LA COMTESSE, SUZANNE

FIGARO *s'approche* : Je vais…

LE COMTE, *croyant parler au page* : Puisque vous ne redoublez pas le baiser…

> *Il croit lui donner un soufflet.*

FIGARO, *qui est à portée, le reçoit* : Ah !

LE COMTE : … Voilà toujours le premier payé.

FIGARO *s'éloigne en se frottant la joue; à part* : Tout n'est pas gain non plus en écoutant.

SUZANNE, *riant tout haut de l'autre côté* : Ah ! ah ! ah ! ah !

LE COMTE, *à la comtesse qu'il prend pour Suzanne* : Entend-on quelque chose à ce page ? il reçoit le plus rude soufflet et s'enfuit en éclatant de rire.

FIGARO, *à part* : S'il s'affligeait de celui-ci !…

LE COMTE : Comment ! je ne pourrai faire un pas… *(À la comtesse.)* Mais laissons cette bizarrerie ; elle empoisonnerait le plaisir que j'ai de te trouver dans cette salle.

LA COMTESSE, *imitant le parler de Suzanne* : L'espériez-vous ?

LE COMTE : Après ton ingénieux billet ! *(Il lui prend la main.)* Tu trembles ?

LA COMTESSE : J'ai eu peur.

LE COMTE : Ce n'est pas pour te priver du baiser que je l'ai pris.

> *Il la baise au front.*

LA COMTESSE : Des libertés !

FIGARO, *à part* : Coquine !

SUZANNE, *à part* : Charmante !

LE COMTE *prend la main de sa femme* : Mais quelle peau fine et douce, et qu'il s'en faut que la comtesse ait la main aussi belle !

LA COMTESSE, *à part* : Oh ! la prévention !

LE COMTE : A-t-elle ce bras ferme et rondelet ? ces jolis doigts pleins de grâce et d'espièglerie ?

LA COMTESSE, *de la voix de Suzanne* : Ainsi l'amour ?...

LE COMTE : L'amour... n'est que le roman du cœur : c'est le plaisir qui en est l'histoire ; il m'amène à tes genoux.

LA COMTESSE : Vous ne l'aimez plus ?

LE COMTE : Je l'aime beaucoup ; mais trois ans d'union rendent l'hymen si respectable !

LA COMTESSE : Que vouliez-vous en elle ?

LE COMTE, *la caressant* : Ce que je trouve en toi, ma beauté...

LA COMTESSE : Mais dites donc.

LE COMTE : ... Je ne sais : moins d'uniformité peut-être, plus de piquant dans les manières ; un je ne sais quoi qui fait le charme ; quelquefois un refus, que sais-je ? Nos femmes croient tout accomplir en nous aimant : cela dit une fois, elles nous aiment, nous aiment ! (quand elles nous aiment), et sont si complaisantes et si constamment obligeantes, et toujours, et sans relâche, qu'on est tout surpris un beau soir de trouver la satiété où l'on recherchait le bonheur !

LA COMTESSE, *à part* : Ah ! quelle leçon !

LE COMTE : En vérité, Suzon, j'ai pensé mille fois

que si nous poursuivons ailleurs ce plaisir qui nous fuit chez elles, c'est qu'elles n'étudient pas assez l'art de soutenir notre goût, de se renouveler à l'amour, de ranimer, pour ainsi dire, le charme de leur possession par celui de la variété.

LA COMTESSE, *piquée* : Donc elles doivent tout ?...

LE COMTE, *riant* : Et l'homme rien ? Changerons-nous la marche de la nature ? notre tâche à nous fut de les obtenir : la leur...

LA COMTESSE : La leur ?...

LE COMTE : Est de nous retenir : on l'oublie trop.

LA COMTESSE : Ce ne sera pas moi.

LE COMTE : Ni moi.

FIGARO, *à part* : Ni moi.

SUZANNE, *à part* : Ni moi.

LE COMTE *prend la main de sa femme* : Il y a de l'écho ici ; parlons plus bas. Tu n'as nul besoin d'y songer, toi que l'amour a faite et si vive et si jolie ! avec un grain de caprice tu seras la plus agaçante maîtresse ! *(Il la baise au front.)* Ma Suzanne, un Castillan n'a que sa parole. Voici tout l'or promis pour le rachat du droit que je n'ai plus sur le délicieux moment que tu m'accordes. Mais comme la grâce que tu daignes y mettre est sans prix, j'y joindrai ce brillant, que tu porteras pour l'amour de moi.

LA COMTESSE, *une révérence* : Suzanne accepte tout.

FIGARO, *à part* : On n'est pas plus coquine que cela.

SUZANNE, *à part* : Voilà du bon bien qui nous arrive.

LE COMTE, *à part* : Elle est intéressée ; tant mieux.

LA COMTESSE *regarde au fond* : Je vois des flambeaux.

LE COMTE : Ce sont les apprêts de ta noce : entrons-nous un moment dans l'un de ces pavillons pour les laisser passer ?

LA COMTESSE : Sans lumière ?

LE COMTE *l'entraîne doucement* : À quoi bon ? nous n'avons rien à lire.

FIGARO, *à part* : Elle y va, ma foi ! Je m'en doutais.

Il s'avance.

LE COMTE *grossit sa voix en se retournant* : Qui passe ici ?

FIGARO, *en colère* : Passer ! on vient exprès.

LE COMTE, *bas, à la comtesse* : C'est Figaro !…

Il s'enfuit.

LA COMTESSE : Je vous suis.

Elle entre dans le pavillon à sa droite, pendant que le comte se perd dans le bois, au fond.

SCÈNE VIII

FIGARO, SUZANNE, *dans l'obscurité.*

FIGARO *cherche à voir où vont le comte et la comtesse, qu'il prend pour Suzanne* : Je n'entends plus rien ; ils sont entrés ; m'y voilà. (*D'un ton altéré.*) Vous autres époux maladroits, qui tenez des espions à gages, et tournez des mois entiers autour d'un soupçon sans l'asseoir, que ne m'imitez-vous? Dès le premier jour je suis ma femme, et je l'écoute; en un tour de main on est au fait: c'est charmant, plus de doutes; on sait à quoi s'en tenir. *(Marchant vivement.)* Heureusement que je ne m'en soucie guère, et que sa trahison ne me fait plus rien du tout. Je les tiens donc enfin!

SUZANNE, *qui s'est avancée doucement dans l'obscurité. (À part.)* Tu vas payer tes beaux soupçons. *(Du ton de voix de la comtesse.)* Qui va là?

FIGARO, *extravagant*: Qui va là? Celui qui voudrait de bon cœur que la peste eût étouffé en naissant...

SUZANNE, *du ton de la comtesse*: Eh! mais, c'est Figaro!

FIGARO *regarde, et dit vivement*: Madame la comtesse!

SUZANNE: Parlez bas.

FIGARO, *vite*: Ah! Madame, que le Ciel vous amène à propos! Où croyez-vous qu'est Monseigneur?

SUZANNE: Que m'importe un ingrat? Dis-moi...

FIGARO, *plus vite*: Et Suzanne mon épousée, où croyez-vous qu'elle soit?

SUZANNE: Mais parlez bas!

FIGARO, *très vite*: Cette Suzon qu'on croyait si vertueuse, qui faisait la réservée! Ils sont enfermés là-dedans. Je vais appeler.

SUZANNE, *lui fermant la bouche avec sa main, oublie de déguiser sa voix*: N'appelez pas.

FIGARO, *à part*: Eh c'est Suzon! *God-dam!*

SUZANNE, *du ton de la comtesse*: Vous paraissez inquiet.

FIGARO, *à part* : Traîtresse ! qui veut me surprendre !

SUZANNE : Il faut nous venger, Figaro.

FIGARO : En sentez-vous le vif désir ?

SUZANNE : Je ne serais donc pas de mon sexe !
Mais les hommes en ont cent moyens.

FIGARO, *confidemment* : Madame, il n'y a personne ici de trop. Celui des femmes... les vaut
tous.

SUZANNE, *à part* : Comme je le souffletterais !

FIGARO, *à part* : Il serait bien gai qu'avant la
noce !...

SUZANNE : Mais qu'est-ce qu'une telle vengeance,
qu'un peu d'amour n'assaisonne pas ?

FIGARO : Partout où vous n'en voyez point,
croyez que le respect dissimule.

SUZANNE, *piquée* : Je ne sais si vous le pensez de
bonne foi, mais vous ne le dites pas de bonne
grâce.

FIGARO, *avec une chaleur comique, à genoux* :
Ah ! Madame, je vous adore. Examinez le temps,
le lieu, les circonstances, et que le dépit sup-
plée en vous aux grâces qui manquent à ma
prière.

SUZANNE, *à part* : La main me brûle !

FIGARO, *à part* : Le cœur me bat.

SUZANNE : Mais, Monsieur, avez-vous songé ?...

FIGARO : Oui, Madame, oui, j'ai songé.

SUZANNE : ... Que pour la colère et l'amour...

FIGARO : ... Tout ce qui se diffère est perdu.
Votre main, Madame ?

SUZANNE, *de sa voix naturelle et lui donnant un soufflet* : La voilà.

FIGARO : Ah ! *demonio*[1] ! quel soufflet !

SUZANNE *lui en donne un second* : Quel soufflet ! Et celui-ci ?

FIGARO : Eh *qu'es aquo*[2] ! de par le diable ! est-ce ici la journée des tapes ?

SUZANNE *le bat à chaque phrase* : Ah ! *qu'es aquo* ? Suzanne : voilà pour tes soupçons ; voilà pour tes vengeances et pour tes trahisons, tes expédients, tes injures et tes projets. C'est-il çà de l'amour ? dis donc comme ce matin[3] ?

FIGARO *rit en se relevant* : *Santa Barbara* ! oui c'est de l'amour. Ô bonheur ! ô délices ! ô cent fois heureux Figaro ! Frappe, ma bien-aimée, sans te lasser. Mais quand tu m'auras diapré tout le corps de meurtrissures, regarde avec bonté, Suzon, l'homme le plus fortuné qui fut jamais battu par une femme.

SUZANNE : « Le plus fortuné ! » Bon fripon, vous n'en séduisiez pas moins la comtesse, avec un si trompeur babil que m'oubliant moi-même, en vérité, c'était pour elle que je cédais.

FIGARO : Ai-je pu me méprendre, au son de ta jolie voix ?

SUZANNE, *en riant* : Tu m'as reconnue ? Ah ! comme je m'en vengerai !

FIGARO : Bien rosser et garder rancune est aussi par trop féminin ! Mais dis-moi donc par quel bonheur je te vois là, quand je te croyais avec lui ;

---

1. Juron italien : « Ah ! Diable ! », comme, plus loin, *Santa Barbara !*, « Sainte Barbe ! ».
2. « Qu'est-ce que c'est ? » Depuis le quatrième mémoire contre Goezman, cette forme provençale était bien connue des Parisiens.
3. Est-ce *là* de l'amour ? Voir acte III, sc. XVIII.

et comment cet habit, qui m'abusait, te montre enfin innocente...

SUZANNE : Eh! c'est toi qui es un innocent, de venir te prendre au piège apprêté pour un autre! Est-ce notre faute à nous, si voulant museler un renard, nous en attrapons deux?

FIGARO : Qui donc prend l'autre?

SUZANNE : Sa femme.

FIGARO : Sa femme?

SUZANNE : Sa femme.

FIGARO, *follement* : Ah! Figaro! pends-toi; tu n'as pas deviné celui-là! Sa femme! Ô douze ou quinze mille fois spirituelles femelles! Ainsi les baisers de cette salle...?

SUZANNE : Ont été donnés à Madame.

FIGARO : Et celui du page?

SUZANNE, *riant* : À Monsieur.

FIGARO : Et tantôt, derrière le fauteuil?

SUZANNE : À personne.

FIGARO : En êtes-vous sûre?

SUZANNE, *riant* : Il pleut des soufflets, Figaro.

FIGARO *lui baise la main* : Ce sont des bijoux que les tiens. Mais celui du comte était de bonne guerre.

SUZANNE : Allons, superbe! humilie-toi.

FIGARO *fait tout ce qu'il annonce* : Cela est juste; à genoux, bien courbé, prosterné, ventre à terre.

SUZANNE, *en riant* : Ah! ce pauvre comte! quelle peine il s'est donnée...

FIGARO *se relève sur ses genoux* : ... Pour faire la conquête de sa femme!

SCÈNE IX

LE COMTE *entre par le fond du théâtre*
et va droit au pavillon à sa droite.
FIGARO, SUZANNE

LE COMTE, *à lui-même* : Je la cherche en vain dans
le bois, elle est peut-être entrée ici.

SUZANNE, *à Figaro, parlant bas* : C'est lui.

LE COMTE, *ouvrant le pavillon* : Suzon, es-tu là-
dedans ?

FIGARO, *bas* : Il la cherche, et moi je croyais...

SUZANNE, *bas* : Il ne l'a pas reconnue.

FIGARO : Achevons-le, veux-tu ?

Il lui baise la main.

LE COMTE *se retourne* : Un homme aux pieds de la
comtesse !... Ah ! je suis sans armes.

Il s'avance.

FIGARO *se relève tout à fait en déguisant sa voix* : Pardon, madame, si je n'ai pas réfléchi que ce rendez-vous ordinaire était destiné pour la noce.

LE COMTE, *à part* : C'est l'homme du cabinet de
ce matin.

Il se frappe le front.

FIGARO *continue* : Mais il ne sera pas dit qu'un
obstacle aussi sot aura retardé nos plaisirs.

LE COMTE, *à part* : Massacre, mort, enfer !

FIGARO, *la conduisant au cabinet* : (Bas.) Il jure.

(Haut.) Pressons-nous donc, madame, et réparons le tort qu'on nous a fait tantôt, quand j'ai sauté par la fenêtre.

LE COMTE, *à part* : Ah ! tout se découvre enfin.

SUZANNE, *près du pavillon à sa gauche* : Avant d'entrer, voyez si personne n'a suivi.

Il la baise au front.

LE COMTE *s'écrie* : Vengeance !

*Suzanne s'enfuit dans le pavillon où sont
entrés Fanchette, Marceline et Chérubin.*

SCÈNE X

LE COMTE, FIGARO
(Le comte saisit le bras de Figaro.)

FIGARO, *jouant la frayeur excessive* : C'est mon maître !

LE COMTE *le reconnaît* : Ah ! scélérat, c'est toi ! Holà ! quelqu'un, quelqu'un !

SCÈNE XI

PÉDRILLE, LE COMTE, FIGARO

PÉDRILLE, *botté* : Monseigneur, je vous trouve enfin.

LE COMTE : Bon, c'est Pédrille. Es-tu tout seul ?

PÉDRILLE : Arrivant de Séville à étripe-cheval.

LE COMTE : Approche-toi de moi, et crie bien fort.

PÉDRILLE, *criant à tue-tête* : Pas plus de page que sur ma main. Voilà le paquet[1].

LE COMTE *le repousse* : Eh ! l'animal.

PÉDRILLE : Monseigneur me dit de crier.

LE COMTE, *tenant toujours Figaro* : Pour appeler. Holà ! quelqu'un ! si l'on m'entend, accourez tous !

PÉDRILLE : Figaro et moi, nous voilà deux ; que peut-il donc vous arriver ?

SCÈNE XII

LES ACTEURS PRÉCÉDENTS, BRID'OISON,
BARTHOLO, BAZILE, ANTONIO, GRIPPE-SOLEIL,
*toute la noce accourt
avec des flambeaux.*

BARTHOLO, *à Figaro* : Tu vois qu'à ton premier signal…

LE COMTE, *montrant le pavillon à sa gauche* : Pédrille, empare-toi de cette porte.

Pédrille y va.

BAZILE, *bas à Figaro* : Tu l'as surpris avec Suzanne ?

LE COMTE, *montrant Figaro* : Et vous, tous mes vas-

---

1. Celui qui contenait le brevet ; voir acte III, sc. I.

saux, entourez-moi cet homme et m'en répondez sur la vie.

BAZILE : Ha ! ha !

LE COMTE, *furieux* : Taisez-vous donc. *(À Figaro, d'un ton glacé :)* Mon cavalier, répondez-vous à mes questions ?

FIGARO, *froidement* : Eh ! qui pourrait m'en exempter, Monseigneur ? Vous commandez à tout ici, hors à vous-même.

LE COMTE, *se contenant* : Hors à moi-même !

ANTONIO : C'est ça parler.

LE COMTE *reprend sa colère* : Non, si quelque chose pouvait augmenter ma fureur ! ce serait l'air calme qu'il affecte !

FIGARO : Sommes-nous des soldats qui tuent et se font tuer pour des intérêts qu'ils ignorent ? Je veux savoir, moi, pourquoi je me fâche[1].

LE COMTE, *hors de lui* : Ô rage ! *(Se contenant.)* Homme de bien qui feignez d'ignorer ! nous ferez-vous au moins la faveur de nous dire quelle est la dame actuellement par vous amenée dans ce pavillon ?

FIGARO, *montrant l'autre avec malice* : Dans celui-là ?

LE COMTE, *vite* : Dans celui-ci.

FIGARO, *froidement* : C'est différent. Une jeune personne qui m'honore de ses bontés particulières.

BAZILE, *étonné* : Ha ! ha !

LE COMTE, *vite* : Vous l'entendez, messieurs ?

BARTHOLO, *étonné* : Nous l'entendons ?

---

1. Sur cette phrase, voir la Préface, p. 49.

LE COMTE, *à Figaro* : Et cette jeune personne a-t-elle un autre engagement que vous sachiez ?

FIGARO, *froidement* : Je sais qu'un grand seigneur s'en est occupé quelque temps : mais, soit qu'il l'ait négligée ou que je lui plaise mieux qu'un plus aimable, elle me donne aujourd'hui la préférence.

LE COMTE, *vivement* : La préf... *(Se contenant.)* Au moins il est naïf ! car ce qu'il avoue, messieurs, je l'ai ouï, je vous jure, de la bouche même de sa complice.

BRID'OISON, *stupéfait* : Sa-a complice !

LE COMTE, *avec fureur* : Or, quand le déshonneur est public, il faut que la vengeance le soit aussi.

Il entre dans le pavillon.

SCÈNE XIII

TOUS LES ACTEURS PRÉCÉDENTS,
hors LE COMTE

ANTONIO : C'est juste.

BRID'OISON, *à Figaro* : Qui-i donc a pris la femme de l'autre ?

FIGARO, *en riant* : Aucun n'a eu cette joie-là.

SCÈNE XIV

LES ACTEURS PRÉCÉDENTS, LE COMTE,
CHÉRUBIN

LE COMTE, *parlant dans le pavillon, et attirant quelqu'un qu'on ne voit pas encore* : Tous vos efforts sont inutiles ; vous êtes perdue, madame, et votre heure est bien arrivée ! *(Il sort sans regarder.)* Quel bonheur qu'aucun gage d'une union aussi détestée...

FIGARO *s'écrie* : Chérubin !

LE COMTE : Mon page ?

BAZILE : Ha ! ha !

LE COMTE, *hors de lui, à part* : Et toujours le page endiablé ! *(À Chérubin :)* Que faisiez-vous dans ce salon ?

CHÉRUBIN, *timidement* : Je me cachais, comme vous l'avez ordonné.

PÉDRILLE : Bien la peine de crever un cheval !

LE COMTE : Entres-y, toi, Antonio ; conduis devant son juge l'infâme qui m'a déshonoré.

BRID'OISON : C'est Madame que vous y-y cherchez ?

ANTONIO : L'y a, parguenne, une bonne Providence ! Vous en avez tant fait dans le pays...

LE COMTE, *furieux* : Entre donc !

Antonio entre.

SCÈNE XV

LES ACTEURS PRÉCÉDENTS, *excepté*
ANTONIO

LE COMTE : Vous allez voir, messieurs, que le page n'y était pas seul.

CHÉRUBIN, *timidement* : Mon sort eût été trop cruel, si quelque âme sensible n'en eût adouci l'amertume.

SCÈNE XVI

LES ACTEURS PRÉCÉDENTS, ANTONIO,
FANCHETTE

ANTONIO, *attirant par le bras quelqu'un qu'on ne voit pas encore* : Allons, madame, il ne faut pas vous faire prier pour en sortir, puisqu'on sait que vous y êtes entrée.

FIGARO *s'écrie* : La petite cousine !

BAZILE : Ha ! ha !

LE COMTE : Fanchette !

ANTONIO *se retourne et s'écrie* : Ah ! palsambleu, Monseigneur, il est gaillard de me choisir pour montrer à la compagnie que c'est ma fille qui cause tout ce train-là !

LE COMTE, *outré* : Qui la savait là-dedans ?

Il veut rentrer.

BARTHOLO, *au-devant* : Permettez, monsieur le comte, ceci n'est pas plus clair. Je suis de sang-froid, moi.

Il entre.

BRID'OISON : Voilà une affaire au-aussi trop embrouillée.

SCÈNE XVII

LES ACTEURS PRÉCÉDENTS, MARCELINE

BARTHOLO, *parlant en dedans, et sortant* : Ne craignez rien, madame, il ne vous sera fait aucun mal. J'en réponds. *(Il se retourne et s'écrie :)* Marceline !
BAZILE : Ha, ha !
FIGARO, *riant* : Eh ! quelle folie ! ma mère en est ?
ANTONIO : À qui pis fera.
LE COMTE, *outré* : Que m'importe à moi ? La comtesse...

SCÈNE XVIII

LES ACTEURS PRÉCÉDENTS, SUZANNE
(Suzanne, son éventail sur le visage.)

LE COMTE : ... Ah ! la voici qui sort. *(Il la prend violemment par le bras.)* Que croyez-vous, messieurs, que mérite une odieuse... ?

Suzanne se jette à genoux, la tête baissée.

LE COMTE, *fort* : Non, non. *(Figaro se jette à genoux de l'autre côté.)*

LE COMTE, *plus fort* : Non, non ! *(Marceline se jette à genoux devant lui.)*

LE COMTE, *plus fort* : Non, non ! *(Tous se mettent à genoux, excepté Brid'oison.)*

LE COMTE, *hors de lui* : Y fussiez-vous un cent !

SCÈNE XIX ET DERNIÈRE

TOUS LES ACTEURS PRÉCÉDENTS ;
LA COMTESSE *sort de l'autre pavillon.*

LA COMTESSE *se jette à genoux* : Au moins je ferai nombre.

LE COMTE, *regardant la comtesse et Suzanne* : Ah ! qu'est-ce que je vois !

BRID'OISON, *riant* : Et pardi, c'è-est Madame.

LE COMTE *veut relever la comtesse* : Quoi, c'était vous, comtesse ? *(D'un ton suppliant.)* Il n'y a qu'un pardon bien généreux…

LA COMTESSE, *en riant* : Vous diriez « Non, non », à ma place ; et moi, pour la troisième fois d'aujourd'hui[1], je l'accorde sans condition.

Elle se relève.

SUZANNE *se relève* : Moi aussi.

MARCELINE *se relève* : Moi aussi.

FIGARO *se relève* : Moi aussi ; il y a de l'écho ici !

---

1. Voir acte II, sc. XIX et acte IV, sc. V.

Tous se relèvent.

LE COMTE : De l'écho ! J'ai voulu ruser avec eux ; ils m'ont traité comme un enfant !

LA COMTESSE, *en riant* : Ne le regrettez pas, monsieur le comte.

FIGARO, *s'essuyant les genoux avec son chapeau* : Une petite journée comme celle-ci forme bien un ambassadeur !

LE COMTE, *à Suzanne* : Ce billet fermé d'une épingle ?...

SUZANNE : C'est Madame qui l'avait dicté.

LE COMTE : La réponse lui en est bien due.

Il baise la main de la comtesse.

LA COMTESSE : Chacun aura ce qui lui appartient.

Elle donne la bourse à Figaro et le diamant à Suzanne.

SUZANNE, *à Figaro* : Encore une dot.

FIGARO, *frappant la bourse dans sa main* : Et de trois[1]. Celle-ci fut rude à arracher !

SUZANNE : Comme notre mariage.

GRIPPE-SOLEIL : Et la jarretière de la mariée, l'aurons-je ?

LA COMTESSE *arrache le ruban qu'elle a tant gardé dans son sein[2], et le jette à terre* : La jarretière ? Elle était avec ses habits ; la voilà.

Les garçons de la noce veulent la ramasser.

1. Avec la dot donnée par la comtesse et la dette que Marceline a remise à Figaro ; voir acte III, sc. XVII et XVIII.
2. Voir acte II, sc. XXVI, et acte IV, sc. III.

CHÉRUBIN, *plus alerte, court la prendre, et dit* : Que celui qui la veut vienne me la disputer.

LE COMTE, *en riant, au page* : Pour un monsieur si chatouilleux, qu'avez-vous trouvé de gai à certain soufflet de tantôt ?

CHÉRUBIN *recule en tirant à moitié son épée* : À moi, mon colonel[1] ?

FIGARO, *avec une colère comique* : C'est sur ma joue qu'il l'a reçu : voilà comme les grands font justice.

LE COMTE, *riant* : C'est sur sa joue ? Ah, ah, ah, qu'en dites-vous donc, ma chère comtesse ?

LA COMTESSE, *absorbée, revient à elle, et dit avec sensibilité* : Ah ! oui, cher comte, et pour la vie, sans distraction, je vous le jure.

LE COMTE, *frappant sur l'épaule du juge* : Et vous, don Brid'oison, votre avis maintenant ?

BRID'OISON : Su-ur tout ce que je vois, monsieur le comte ?... Ma-a foi, pour moi, je-e ne sais que vous dire : voilà ma façon de penser.

TOUS, *ensemble* : Bien jugé !

FIGARO : J'étais pauvre, on me méprisait. J'ai montré quelque esprit, la haine est accourue. Une jolie femme et de la fortune.

BARTHOLO, *en riant* : Les cœurs vont te revenir en foule.

FIGARO : Est-il possible ?

BARTHOLO : Je les connais.

FIGARO, *saluant les spectateurs* : Ma femme et mon bien mis à part, tous me feront honneur et plaisir.

---

1. Le comte a donné à Chérubin une compagnie dans sa légion ; voir acte I, sc. x, p. 89.

*On joue la ritournelle du vaudeville.
Air noté.*

VAUDEVILLE

BAZILE

Premier couplet

Triple dot, femme superbe ;
Que de biens pour un époux !
D'un seigneur, d'un page imberbe,
Quelque sot serait jaloux.
Du latin d'un vieux proverbe
L'homme adroit fait son parti.

FIGARO : Je le sais… *(Il chante.) Gaudeant bene nati.*
BAZILE : Non… *(Il chante.) Gaudeant bene nanti*[1].

SUZANNE

Deuxième couplet

Qu'un mari sa foi trahisse,
Il s'en vante, et chacun rit ;
Que sa femme ait un caprice,
S'il l'accuse on la punit.
De cette absurde injustice
Faut-il dire le pourquoi ?
Les plus forts ont fait la loi…   *Bis.*

FIGARO

Troisième couplet

Jean Jeannot, jaloux risible,
Veut unir femme et repos ;

---

1. Au lieu de : « Que se réjouissent les bien-nés », « Que se
réjouissent les bien-nantis ». Bazile est toujours un bon refaiseur
de proverbes.

Il achète un chien terrible,
Et le lâche en son enclos.
La nuit, quel vacarme horrible !
Le chien court, tout est mordu,
Hors l'amant qui l'a vendu…   *Bis.*

LA COMTESSE

Quatrième couplet

Telle est fière et répond d'elle,
Qui n'aime plus son mari ;
Telle autre, presque infidèle,
Jure de n'aimer que lui.
La moins folle, hélas ! est celle
Qui se veille en son lien,
Sans oser jurer de rien…   *Bis.*

LE COMTE

Cinquième couplet

D'une femme de province
À qui ses devoirs sont chers,
Le succès est assez mince ;
Vive la femme aux bons airs !
Semblable à l'écu du Prince,
Sous le coin[1] d'un seul époux,
Elle sert au bien de tous…   *Bis.*

MARCELINE

Sixième couplet

Chacun sait la tendre mère,
Dont il a reçu le jour ;
Tout le reste est un mystère,
C'est le secret de l'amour.

---

1. Le *coin* est la pièce de fer qui sert à marquer les monnaies. Le contexte donne au mot un sens érotique, tout à fait dans la tradition de la parade.

FIGARO *continue l'air.*

Ce secret met en lumière
Comment le fils d'un butor
Vaut souvent son pesant d'or...   *Bis.*

Septième couplet

Par le sort de la naissance,
L'un est roi, l'autre est berger ;
Le hasard fit leur distance ;
L'esprit seul peut tout changer.
De vingt rois que l'on encense,
Le trépas brise l'autel ;
Et Voltaire est immortel...   *Bis.*

CHÉRUBIN

Huitième couplet

Sexe aimé, sexe volage,
Qui tourmentez nos beaux jours,
Si de vous chacun dit rage[1],
Chacun vous revient toujours.
Le parterre est votre image ;
Tel paraît le dédaigner,
Qui fait tout pour le gagner...   *Bis.*

SUZANNE

Neuvième couplet

Si ce gai, ce fol ouvrage,
Renfermait quelque leçon,
En faveur du badinage,
Faites grâce à la raison.
Ainsi la nature sage
Nous conduit, dans nos désirs,
À son but, par les plaisirs...   *Bis.*

---

1. *Dire rage de quelqu'un* : en dire tout le mal imaginable.

BRID'OISON

Dixième couplet

Or, messieurs, la co-omédie
Que l'on juge en cè-et instant,
Sauf erreur, nous pein-eint la vie
Du bon peuple qui l'entend.
Qu'on l'opprime, il peste, il crie ;
Il s'agite en cent fa-açons ;
Tout fini-it par des chansons...   *Bis*

BALLET GÉNÉRAL

FIN DU CINQUIÈME ET DERNIER ACTE

DOSSIER

VIE DE BEAUMARCHAIS
1732-1799

1722 André Charles Caron, né en 1698, est reçu maître horloger et épouse Marie-Louise Pichon.

1732 Naissance de Pierre-Augustin Caron à Paris. Il a déjà deux sœurs (Marie-Josèphe et Marie-Louise) et en aura trois autres : Madeleine-Françoise (Fanchon), Marie-Julie (La Bécasse), et Jeanne-Marguerite (Tonton).

1742-1745. Études assez sommaires à l'école d'Alfort. Il revient ensuite travailler chez son père.

1753 Pierre-Augustin invente un nouveau système d'échappement qu'il montre à l'horloger du roi, Lepaute. Ce dernier présente l'invention comme sienne à l'Académie des sciences.

1754 Le 23 février, l'Académie atteste que Pierre-Augustin est bien l'inventeur. Désormais connu, il reçoit des commandes pour la Cour, est présenté au roi et à la reine.

1755 Il fait la connaissance des Franquet. Le mari, malade, lui vend sa charge de contrôleur-clerc d'office de la Maison du Roi.

1756 Franquet meurt en janvier. Pierre-Augustin épouse sa veuve, Marie-Christine Aubertin, le 27 novembre. Il se fait appeler Caron de Beaumarchais, du nom d'une terre de sa femme.

1757 Sa femme meurt d'une fièvre putride.

1758 Mort de sa mère.

1759 Beaumarchais sait se rendre indispensable auprès de Mesdames, les filles du roi : il leur donne des leçons de musique, leur apprend à jouer de la harpe, instrument qu'il vient de perfectionner. Cette année-là ou l'année suivante, il fait la connaissance du financier Pâris-Duverney qui le prendra pour associé et fera sa fortune.

1761 Achat de la charge de conseiller-secrétaire du roi, charge qui lui confère la noblesse et le droit de porter légalement le nom de Beaumarchais.

1762 La charge de Grand-Maître des Eaux et Forêts le tente, mais il ne peut l'acquérir, à cause de l'hostilité des autres Grands-Maîtres qui lui reprochent sa naissance roturière.

1763 En janvier, achat d'une maison sise au 26 rue de Condé. Beaumarchais y recueille son père et ses deux sœurs cadettes. En août, achat de la charge de lieutenant-général des chasses. Projet de mariage avec une jeune créole de Saint-Domingue, amie de la famille, Pauline Le Breton. Dans ces premières années 60, Beaumarchais écrit ses parades, jouées au château d'Étioles, chez son ami Charles Le Normand, neveu de Pâris-Duverney et mari infortuné de la Pompadour.

1764-1765. De mai 1764 à mars 1765, séjour en Espagne, infructueux : les grands projets commerciaux échouent et Clavijo, archiviste et journaliste, n'épousera pas Marie-Louise, la sœur de Beaumarchais qu'il a compromise.

1766 Rupture de ses fiançailles avec Pauline Le Breton. Début de l'exploitation, avec Pâris-Duverney, de 2 000 arpents dans la forêt de Chinon.

1767 Première représentation, le 29 janvier, d'*Eugénie* qui appartient au « genre dramatique sérieux ».

1768 Le 11 avril, Beaumarchais épouse Geneviève, Madeleine Wattebled, veuve de Lévêque, garde général des Menus-Plaisirs (mort en décembre 1767). Naissance, le 14 décembre, d'un fils, Augustin.

1770 13 janvier : première représentation de son second
      drame, *Les Deux Amis*. C'est un échec.
      En juillet, mort de Pâris-Duverney, à l'âge de quatre-
      vingt-six ans. Il lègue ses biens au comte de La
      Blache, son petit-neveu par alliance.
      En novembre, mort de la seconde femme de Beau-
      marchais, à l'âge de trente-neuf ans. Une petite fille,
      née en mars, n'avait probablement vécu que
      quelques jours.
1772 La Blache refuse de payer la somme due par son
      oncle. Procès, que Beaumarchais gagne, mais son
      adversaire fait appel devant le Parlement de Paris.
      La même année, mort du jeune Augustin en
      octobre, et, en décembre, de Tonton, une des sœurs
      bien-aimées.
1773 Année cruciale : le 3 janvier, *Le Barbier de Séville* est
      reçu à la Comédie-Française ; altercation avec le duc
      de Chaulnes qui accuse Beaumarchais de lui ravir sa
      maîtresse, une actrice, Mlle Ménard. Sur ordre du
      roi, le duc est enfermé au château de Vincennes, son
      rival au For-l'Évêque du 26 février au 8 mai.
      Le 1er avril, le conseiller Goezman est nommé rap-
      porteur du procès La Blache devant le parlement
      Maupeou. Sur son rapport, défavorable, Beaumar-
      chais, le 6 avril, perd son procès. Il est de plus accusé
      de tentative de corruption de magistrat. Il se défend
      en écrivant trois mémoires.
1774 Publication en février d'un quatrième mémoire. Le
      26, Beaumarchais est *blâmé* et privé de ses droits
      civiques ; en mars, ses quatre mémoires sont brûlés
      sur les marches du Palais. Mais, la même année, il est
      chargé de missions secrètes : de mars au début de
      mai, premier séjour en Flandres et à Londres. Beau-
      marchais obtient de Théveneau de Morande la des-
      truction d'un libelle contre la du Barry ; et en juin la
      promesse de la destruction d'un pamphlet contre
      Louis XVI (Louis XV est mort le 10 mai). L'auteur,
      Angelucci, ne tenant pas ses promesses, Beaumar-

chais se lance à sa poursuite en Hollande, puis jusqu'à Vienne où il arrive le 20 août, se disant victime d'une mauvaise rencontre. Reçu le lendemain par l'impératrice il paraît suspect et est retenu prisonnier dans sa chambre jusqu'au 23 septembre. Libéré à la demande des services français.

Novembre : l'arrêt de blâme du 26 février est cassé.

1775 Le 28 janvier, l'arrêt du 6 avril 1773 est cassé. L'affaire La Blache sera portée devant le parlement d'Aix-en-Provence.

23 février : création à la Comédie-Française du *Barbier de Séville*. Au cours de l'année, voyages en Angleterre et en Flandres avec le titre de chargé de mission. Tractations avec le chevalier d'Éon, à propos de documents concernant un projet de débarquement des troupes françaises en Angleterre. D'Éon cède enfin ces documents le 4 novembre.

1776 Le 10 juin, Beaumarchais reçoit du Trésor public un million de livres pour financer l'expédition de secours secrets aux insurgents d'Amérique. Fondation dans ce but de la maison de commerce Roderigue Hortalez et Cie qui installera ses bureaux en octobre à l'hôtel des Ambassadeurs de Hollande.

Le 3 août, mort du prince de Conti qui avait toujours protégé Beaumarchais.

1777 Naissance d'Eugénie, fille de Beaumarchais et de sa maîtresse (depuis 1774) Marie-Thérèse de Willermawlas.

Le 3 juillet, première réunion chez Beaumarchais des auteurs dramatiques qui veulent défendre leurs droits.

1778 En juillet, dans l'affaire La Blache, Beaumarchais gagne son procès devant le parlement d'Aix.

1779-1780. Années d'intense activité commerciale (commerce avec l'Amérique et fourniture d'armes), littéraire (début de l'édition dite de Kehl des œuvres de Voltaire), théâtrale (démêlés avec les Comédiens-Français à propos des droits d'auteur).

1781 29 septembre : *Le Mariage de Figaro* est reçu à l'unanimité à la Comédie-Française. Mais le roi s'oppose à
la représentation.

1782-1783. En dépit de tous ses tracas financiers et commerciaux, Beaumarchais multiplie, mais en vain, les
lectures du *Mariage de Figaro* : le 13 juin 1783, la
représentation sur le théâtre des Menus-Plaisirs à
Paris est interdite au dernier moment par le roi.
Le 26 septembre, représentation privée à Gennevilliers chez le comte de Vaudreuil.

1784 Le 27 avril, première, triomphale, du *Mariage de
Figaro* à la Comédie-Française. Cette année-là, le
livret de *Tarare* est accepté par l'Académie royale de
Musique.

1785 Une allusion, dans un article, aux « lions et tigres »
qu'il a dû vaincre pour faire jouer sa comédie pro-
voque la colère du roi. L'auteur est arrêté et enfermé à Saint-Lazare du 8 au 13 mars.
Avril : publication de la pièce et de sa préface.
Août : reprise du *Barbier* à la Cour ; Marie-Antoinette
joue Rosine, le comte d'Artois Figaro.
Novembre : reprise d'*Eugénie*.
Cette année-là, Beaumarchais, intéressé à la compagnie des Eaux des frères Périer, polémique contre
Mirabeau, porte-parole d'une compagnie rivale.

1786 Mars : Beaumarchais épouse Marie-Thérèse. Eugénie a neuf ans. Mai : première, au Burgtheater de
Vienne, de l'opéra de Mozart *Les Noces de Figaro*.

1787 Début de l'affaire Kornman : le banquier Kornman
avait fait enfermer sa femme, maîtresse enceinte
d'un familier du comte de Nassau, pour s'emparer
de sa dot. Beaumarchais avait fait libérer Mme Kornman. Mémoire contre lui de Bergasse, l'avocat de
Kornman.
Le 8 juin, première représentation de *Tarare* à
l'Opéra. Le même mois, achat d'un terrain près de
la Bastille. Beaumarchais y fait construire par l'archi-
tecte Lemoyne une somptueuse demeure.

1788 Publication par Bergasse d'un nouveau mémoire. Beaumarchais porte plainte en diffamation.

1789 Le 2 avril, Kornman et Bergasse sont condamnés comme calomniateurs. Mais l'opinion est hostile à Beaumarchais.

Le 15 juillet, il pénètre avec vingt-quatre hommes en armes dans la Bastille et est chargé, le mois suivant, de surveiller sa démolition. Mais en août, sur une dénonciation, il est exclu de l'Assemblée des Représentants de la Commune de Paris. Après avoir réfuté toutes ces accusations, il est invité en septembre à reprendre sa place à l'Assemblée.

1790 Reprise, le 3 août, de *Tarare* avec le nouveau dénouement « Le Couronnement de Tarare ».

1791 En février, *La Mère coupable* est acceptée à la Comédie-Française. Mais en décembre, l'auteur retire sa pièce.

Au printemps, installation de la famille Beaumarchais dans la magnifique demeure, enfin achevée, du boulevard Saint-Antoine.

1792 En mars, un libraire belge, Delahaye, propose l'achat de 60 000 fusils dont l'armée a le plus grand besoin. Beaumarchais va s'efforcer de les faire acheter par le gouvernement français. En vain, et malgré deux traités signés en mars et en juillet avec les ministres intéressés.

Juin : le 4, il est dénoncé à l'Assemblée Nationale par Chabot, un capucin défroqué, comme accaparateur d'armes. Le 26, première représentation de *La Mère coupable* au théâtre du Marais qui a ouvert ses portes l'année précédente.

Août : Beaumarchais est arrêté chez lui le 23, conduit le 27 à l'Abbaye, délivré par Manuel, le procureur de la Commune de Paris, le 29. Il échappe ainsi aux massacres de septembre. Il quitte la France fin septembre avec une attestation de civisme et un ordre de mission : il doit faire rentrer en France les fusils de Hollande. Séjour à Londres et en Hollande.

Le 28 novembre, sur la dénonciation de Lecointre, il est décrété d'accusation par la Convention.

1793 Pour l'affaire des fusils, rédaction à Londres et publication à Paris des *Six époques*.

Février : le 10, suspension pour deux mois du décret d'accusation. Le 26, Beaumarchais est de nouveau à Paris.

Mai : il comparaît devant le Comité de Salut public. Reconnu innocent, il est de nouveau chargé de mission.

Août : venant de Suisse, il est refoulé d'Angleterre et s'embarque pour la Hollande.

1794 Mars : malgré son ordre de mission, Beaumarchais est placé sur la liste des émigrés. En juillet, sa femme, sa fille et sa sœur sont emprisonnées et ne doivent leur salut qu'à la chute de Robespierre. Lui vit misérablement en Allemagne, la plupart du temps à Hambourg.

1795 Juin : rachetés par les Anglais, les fusils sont définitivement perdus pour la France.

Septembre : reprise de *Tarare*.

1796 En juin, Beaumarchais est définitivement rayé de la liste des émigrés. Il apprend la nouvelle dix jours plus tard et part aussitôt. Il arrive enfin à Paris le 5 juillet. Le 10 du même mois, mariage de sa fille avec André-Toussaint Delarue.

1797 Mai : le 5, reprise de *La Mère coupable* par les Comédiens-Français au théâtre de la rue Feydeau. L'auteur est acclamé.

1798 Mai : mort de Julie, au domicile de son frère.

1799 Dans la nuit du 17 au 18 mai, Beaumarchais meurt d'apoplexie durant son sommeil. Bien que gêné par une surdité quasi totale, il était resté très actif, essayant de rétablir une situation financière bien compromise et s'intéressant, comme en témoigne la rédaction de plusieurs mémoires, aux sujets les plus divers.

1816 Mort de Mme de Beaumarchais.

NOTICE

LE MARIAGE DE FIGARO

Si l'on en croit l'auteur[1], le premier lecteur de la pièce aurait été le prince de Conti ; mais ce dernier est mort en août 1776 et l'on pense que l'œuvre a été terminée deux ans plus tard, en 1778. Elle reste jusqu'en 1781 « en portefeuille », d'abord parce que, tout entier à ses affaires et à ses procès, Beaumarchais n'a guère de temps à consacrer au théâtre, ensuite et surtout parce que ses relations avec les Comédiens-Français sont moins qu'amicales à cause de l'irritant problème des droits d'auteur. Ce problème momentanément réglé, la pièce est soumise au comité de lecture de la Comédie et reçue à l'unanimité le 29 septembre 1781. Le premier censeur, Coqueley de Chaussepierre, fait un rapport favorable et ne demande que de légères modifications. Cependant la pièce est lue « dans toutes les soirées de Versailles » et le couple royal se la fait lire par Mme Campan qui nous a livré, dans ses *Mémoires*, les réactions du roi : il juge la pièce « de mauvais goût » et le grand monologue de Figaro « détestable » : « il faudrait détruire la Bastille pour que la représentation de cette pièce ne fût pas une inconséquence dangereuse[2] ». Et,

---

1. Préface, p. 28.
2. *Mémoires* de Mme Campan, Paris, Baudoin, 1822, t. I, p. 278. L'au-

dans une lettre au garde des Sceaux, Louis XVI en interdit la représentation et l'impression. Dès lors la lutte s'engage entre les amis et les ennemis de l'auteur, lutte qui va durer près de trois ans.

Beaumarchais, pour arriver à ses fins, a recours à plusieurs procédés : il réclame de nouveaux censeurs[1], multiplie les lectures dans de petites sociétés pour faire connaître son œuvre et rassembler ses admirateurs : le 26 mai 1782, la pièce est lue au grand-duc et à la grande-duchesse de Russie ; le 30, chez la maréchale de Richelieu, devant une assemblée de prélats. Une longue lettre est écrite au lieutenant de police qui « est supplié de vouloir bien communiquer cette observation aux personnes qui n'aiment point *Le Mariage de Figaro*[2] ». Il ne fait nul doute que ces « personnes » sont le roi et la reine auxquels l'auteur n'ose pas s'adresser directement. Mais il menace, dans une autre lettre, de confier son manuscrit à Catherine II qui le réclame : quel scandale si la pièce était créée à Saint-Pétersbourg et non à Paris par les Comédiens-Français ! Ces derniers sont prêts à jouer, s'impatientent, et s'impatientent aussi ceux qui, autour du roi, s'opposent à sa décision.

Au début de juin 1783, les Comédiens-Français reçoivent l'ordre de répéter le *Mariage* pour le service de la Cour. Mais, le 13, la représentation sur le théâtre des Menus-Plaisirs à Paris est interdite au dernier moment par le roi. Un nouveau censeur de la pièce, Gaillard, fait un rapport favorable, et le 26 septembre enfin, a lieu la première représentation privée à Gennevilliers, chez le comte

_____

teur n'indique pas la date de cette lecture (fin 1781-début 1782 probablement).

1. Il n'y en eut pas moins de six : fin 1781, Coqueley de Chaussepierre ; juillet 1782, J.-B. Suard ; entre juin et septembre 1783, Gaillard ; automne 1783, Guidi ; janvier 1784, Desfontaines ; février 1784, Antoine Bret. Tous les censeurs, à l'exception de J.-B. Suard, donnèrent un avis favorable.

2. Cette lettre a été écrite au début de 1782. Il y est fait allusion, dans le deuxième paragraphe, à la naissance du dauphin qui avait eu lieu en janvier.

de Vaudreuil et en l'honneur du frère du roi, le comte d'Artois. Il était dès lors difficile à Louis XVI d'interdire une représentation publique, d'autant plus que les rapports des trois autres censeurs, Guidi, Desfontaines et Bret, n'étaient pas hostiles. L'auteur avait de nouveau lu sa pièce devant une assemblée de lettrés présidée par le baron de Breteuil, et retranché « jusqu'aux moindres mots dont ce tribunal de décence et de goût a cru devoir exiger la suppression[1] ». Ce dont rendait compte une lettre respectueuse adressée au souverain.

La première représentation publique eut donc lieu le 27 avril 1784 à la Comédie-Française, dans un théâtre tout neuf inauguré en 1782[2]. Le Figaro du *Barbier*, Préville, avait cédé le rôle à Dazincourt ; Mlle Contat jouait Suzanne, Mlle Saint-Val la Comtesse. Dirigés par l'auteur, les Comédiens se surpassèrent et, tous les témoignages concordent, la soirée fut triomphale.

Rien ne s'opposait désormais à la publication de l'œuvre : la préface fut approuvée par le censeur Bret et le permis d'imprimer délivré. Toutefois les difficultés n'étaient pas terminées. Attaqué fin février 1785 dans le *Journal de Paris*, Beaumarchais répond par un article où une phrase malencontreuse va provoquer un incident : « ... Quel est votre objet en publiant de telles sottises ? Quand j'ai dû vaincre lions et tigres pour faire jouer une comédie, pensez-vous, après son succès, me réduire, ainsi qu'une servante hollandaise, à battre l'osier tous les matins sur l'insecte vil de la nuit[3] ? » « Vaincre lions et tigres... » Louis XVI se croit visé et voilà Beaumarchais arrêté et enfermé à Saint-Lazare, la prison des débauchés et des filles, du 8 au 13 mars. Une longue lettre au roi[4] clame son innocence, sa

---

1. Lettre au roi (mars 1784).
2. Ce théâtre brûla en 1799 et en 1818. Reconstruit en 1819 selon les mêmes plans, il n'a subi depuis que peu de modifications. C'est notre actuel Odéon.
3. Lettre du 2 mars 1785. « L'insecte vil de la nuit » est, très probablement, le censeur Suard.
4. Lettre écrite fin mars ou début avril.

douleur et sa honte, rappelle sa fidélité, mais aussi qu'il est « créancier de l'État pour des sommes considérables ». En avril, pièce et préface[1] peuvent enfin paraître.

Plus rien, ensuite, n'entrave le succès : sous l'Ancien Régime, il y eut, à la Comédie-Française, 111 représentations, 609 au XIXe siècle. La pièce reste une des plus jouées du répertoire. Rappelons que l'opéra de Mozart a été créé à Vienne le 1er mai 1786.

Trois manuscrits nous ont été conservés ; le premier se trouve à la Bibliothèque Nationale, le deuxième dans les papiers de famille, le troisième à la Comédie-Française. En juxtaposant les textes de ces trois manuscrits et celui de l'édition originale, on peut surprendre Beaumarchais au travail et apprécier l'importance des variantes. Au début d'avril 1785, il y eut un double tirage : l'édition de Paris et celle qui fut « imprimée à Kehl par l'Imprimerie de la société littéraire typographique » et ornée de cinq planches de Saint-Quentin. Pour ces deux textes identiques et que nous reproduisons ici, le permis d'imprimer est daté du 29 mars 1784 et signé Lenoir pour la pièce, du 31 janvier 1785 pour la préface.

Deux contrefaçons, dont le texte est inexact, parurent aussitôt. L'édition d'Amsterdam présente certaines didascalies intéressantes car il est bien évident que les auteurs de cette contrefaçon n'ont pu noter que ce qu'ils voyaient. Nous avons repris dans les notes certains jeux de scène qu'il est utile de comparer avec ceux qui sont indiqués par l'auteur.

La deuxième contrefaçon se présente « augmentée d'un détail de costume, d'une notice sur l'esprit et la caricature des personnages et de cinq planches pour faciliter l'aménagement de la scène et l'exécution de cette comédie ». Ces planches sont intéressantes et leur exactitude est confirmée par les descriptions que donne l'édition d'Amsterdam.

---

1. Cette préface reprend plusieurs passages d'une lettre adressée par Beaumarchais en 1784 au baron de Breteuil, ministre de Louis XVI.

Elles donnent, pour chaque acte, un plan de la scène suivi d'une légende. Nous les reproduisons ici.

Acte I

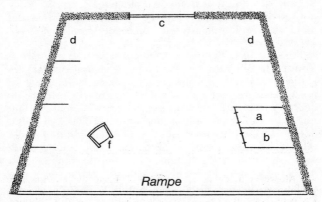

« *a.* Porte de l'appartement du comte. — *b.* Porte de l'appartement de la comtesse. — *c.* Porte du fond. — *d.* Entrées des divers personnages. — *f. [sic]* fauteuil où se cache le comte. *N.B.* Ce fauteuil doit être fort grand de la forme de ceux qu'on appelle "confessionnaux". »

Acte II

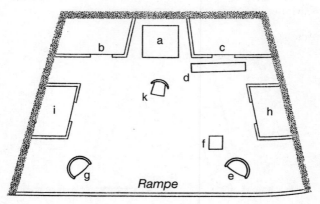

« *a*. Alcôve et lit de la comtesse. — *b*. Porte qui conduit à la chambre des femmes de la comtesse. — *c*. Fenêtre par où saute Chérubin. — *d*. Banc. — *e*. Fauteuil de la comtesse. — *f*. Tabouret sur lequel est posée une guitare. — *g*. Autre fauteuil. — *h*. Cabinet fermant à clef où Suzanne couche. — *i*. Porte de communication avec l'appartement du comte. — *k*. Chaise. »

Acte III

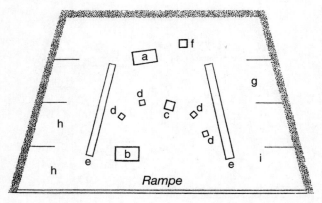

« *a*. Estrade où préside le comte. — *b*. Table du greffier Double-Main. — *c*. Siège de Brid'oison. — *d*. Sièges des conseillers. — *e*. Bancs des avocats. — *f*. Place de l'huissier. — *g*. Dais sous lequel il n'y a pas de fauteuil ; sans doute place du roi. — *h*. Bartholo-Marceline. — *i*. Place de Figaro. »

Acte IV

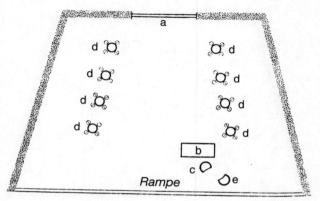

« *a*. Porte du fond. — *b*. Table où l'on écrit le billet de rendez-vous. — *c*. Fauteuil de la comtesse. — *d*. Lustres suspendus au plafond à trois pieds des frises. — *e*. Fauteuil du comte. »

Acte V

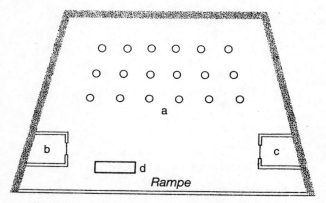

« *a*. Allée de marronniers. — *b*. Cabinet où le comte emmène la comtesse croyant parler à Suzanne. — *c*. Cabinet où se trouvent cachés Suzanne, Fanchette, Chérubin, etc. — *d*. Banc où Figaro est assis pendant le monologue du cinquième acte. »

BIBLIOGRAPHIE SOMMAIRE

ŒUVRES DE BEAUMARCHAIS

1767 *Eugénie*, Paris, Merlin.
1770 *Les Deux Amis ou le Négociant de Lyon*, Paris, Vve Duchesne.
1775 *Le Barbier de Séville ou La Précaution inutile*, Paris, Ruault.
1785 *La Folle Journée ou Le Mariage de Figaro*, Paris, Ruault.
1787 *Tarare*, opéra en cinq actes, Paris, P. de Lormel.
1797 *L'Autre Tartuffe ou La Mère coupable*, Paris, Rondonneau.
1809 *Œuvres complètes de Beaumarchais*, éd. Gudin de la Brenellerie, 7 vol., Paris, Collin.
1869-1871. *Théâtre complet de Beaumarchais*, éd. G. d'Heylli et P. de Marescot, 4 vol., Paris, Académie des Bibliophiles.
1876 *Œuvres complètes de Beaumarchais*, éd. Édouard Fournier, Paris, Laplace, Sanchez et Cie.
1952 *Théâtre complet de Beaumarchais*, éd. René d'Hermies, Paris, Magnard.
1961 *Notes et Réflexions*, éd. Gérard Bauër, Paris, Hachette.
1966 *Le Mariage de Figaro*, éd. Jacques Scherer, avec analyse dramaturgique, Paris, S.E.D.E.S.
1968 *Le Mariage de Figaro*, éd. J.B. Ratermanis, Genève, Studies on Voltaire, LXIII.
1980 *Théâtre de Beaumarchais*, éd. Jean-Pierre de Beaumarchais, Paris, Garnier.

1988 *Œuvres*, éd. Pierre Larthomas, Paris, Bibliothèque de la Pléiade, Gallimard.

ÉTUDES

1856 Louis de Loménie, *Beaumarchais et son temps*, Paris, Lévy.
1887 Eugène Lintilhac, *Beaumarchais et ses œuvres*, Paris, Hachette.
1888 Gudin de La Brenellerie, *Histoire de Beaumarchais*, éd. Maurice Tourneux, Paris, Plon.
1954 Jacques Scherer, *La Dramaturgie de Beaumarchais*, Paris, Nizet.
1956 René Pomeau, *Beaumarchais*, Paris, Hatier.
1956 Gunnar von Proschwitz, *Introduction à l'étude du vocabulaire de Beaumarchais*, Stockholm et Paris, Nizet.
1972 Duc de Castries, *Figaro ou la vie de Beaumarchais*, Paris, Hachette.
1972 Pierre Larthomas, *Le Langage dramatique*, Paris, Colin (rééd. P.U.F., 1980).
1974 Maurice Descotes, *Les Grands Rôles du théâtre de Beaumarchais*, Paris, P.U.F.
1980 Pierre Larthomas, *Le Théâtre en France au XVIIIe siècle*, Paris, coll. « Que sais-je ? ».
1984 Jacqueline Sabattier, *Figaro et son maître : les domestiques au XVIIIe siècle*, Librairie Académique Perrin.
1985 Gabriel Conesa, *La Trilogie de Beaumarchais*, Paris, P.U.F.
1987 René Pomeau, *Beaumarchais ou la bizarre destinée*, Paris, P.U.F.
1999 Maurice Lever, *Pierre-Augustin Caron de Beaumarchais*, t. I, *1732-1774*, Paris, Fayard.

Introduction de Pierre Larthomas   7

LE MARIAGE DE FIGARO

Préface   19
Acte premier   63
Acte II   95
Acte III   141
Acte IV   177
Acte V   202

DOSSIER

Vie de Beaumarchais   241
Notice   248
Bibliographie sommaire   257

DU MÊME AUTEUR

Dans la même collection

LE MARIAGE DE FIGARO. LA MÈRE COUPABLE.
Édition présentée et établie par Pierre Larthomas.

LE BARBIER DE SÉVILLE. JEAN BÊTE À LA FOIRE.
Édition présentée et établie par Jacques Scherer.

Dans la collection Folio théâtre

LE MARIAGE DE FIGARO. *Édition de Françoise Bagot et Michel Kail.*

LE BARBIER DE SÉVILLE. *Édition de Françoise Bagot et Michel Kail.*

DERNIÈRES PARUTIONS

4819 *Les Guerres puniques*. Traduction du latin et du grec ancien de Maxime Gaucher, Denis Roussel et Philippe Torrens. Préface de Claudia Moatti.

4825 GEORGE SAND : *Elle et Lui*. Édition de Thierry Bodin.

4849 VICTOR HUGO : *Notre-Dame de Paris*. Édition de Benedikte Andersson. Préface d'Adrien Goetz.

4893 MICHEL DE MONTAIGNE : *Essais, tome I*. Édition d'Emmanuel Naya, Delphine Reguig-Naya et Alexandre Tarrête. Nouvelle édition de l'Exemplaire de Bordeaux.

4894 MICHEL DE MONTAIGNE : *Essais, tome II*. Édition d'Emmanuel Naya, Delphine Reguig-Naya et Alexandre Tarrête. Nouvelle édition de l'Exemplaire de Bordeaux.

4895 MICHEL DE MONTAIGNE : *Essais, tome III*. Édition d'Emmanuel Naya, Delphine Reguig-Naya et Alexandre Tarrête. Nouvelle édition de l'Exemplaire de Bordeaux.

4910 JANE AUSTEN : *Le Cœur et la Raison*. Traduction de l'anglais et édition de Pierre Goubert. Préface de Christine Jordis.

4934 JULES VERNE : *Le Tour du monde en quatre-vingts jours*. Édition de William Butcher. Illustrations de L. Benett et C. de Neuville.

4952 ALEXANDRE DUMAS : *La Reine Margot*. Édition de Janine Garrisson.

4976 FÉDOR DOSTOÏEVSKI : *Le Songe d'un homme ridicule et autres récits*. Traduction du russe de Gustave Aucouturier. Préface de Michel Aucouturier.

4990 GEORGE ELIOT : *Daniel Deronda, tome I*. Traduction de l'anglais et édition d'Alain Jumeau.

4991 GEORGE ELIOT : *Daniel Deronda, tome II*. Traduction de l'anglais et édition d'Alain Jumeau.

5009 CHARLES DICKENS : *David Copperfield*.

Traduction de l'anglais de Lucien Guitard, André
Parreaux et Madeleine Rossel, révisée par Francis
Ledoux et Pierre Leyris. Édition d'André Topia.

5032   *Écrivains fin-de-siècle*. Édition de Marie-Claire
        Bancquart.

5046   JOSEPH CONRAD : *La Ligne d'ombre*. Traduction
        de l'anglais de Florence Herbulot. Édition de Sylvère
        Monod. Préface d'Alain Jaubert.

5059   ÉRASME : *Éloge de la Folie et autres écrits*.
        Traduction du latin de Franz Bierlaire, Claude Blum
        et Jean-Claude Margolin. Édition de Jean-Claude
        Margolin.

5082   STENDHAL : *Journal*. Édition d'Henri Martineau,
        avec la collaboration de Xavier Bourdenet. Préface
        de Dominique Fernandez.

5099   JULES VERNE : *L'Île mystérieuse*. Édition de
        Jacques Noiray. Illustrations de Férat.

5130   *Nouvelles du Moyen Âge*. Traduction nouvelle de
        l'ancien français et édition de Nelly Labère.

5157   CERVANTÈS : *Don Quichotte, tome I*. Traduction
        de l'espagnol de Claude Allaigre, Jean Canavaggio et
        Michel Moner. Édition publiée sous la direction de
        Jean Canavaggio.

5158   CERVANTÈS : *Don Quichotte, tome II*. Traduction
        de l'espagnol de Claude Allaigre, Jean Canavaggio et
        Michel Moner. Édition publiée sous la direction de
        Jean Canavaggio.

5159   BALTASAR GRACIAN : *L'Homme de cour*. Précédé
        d'un essai de Marc Fumaroli. Traduction de
        l'espagnol d'Amelot de La Houssaie. Édition de
        Sylvia Roubaud.

5183   STENDHAL : *Aux âmes sensibles. Lettres choisies
        (1800-1842)*. Choix d'Emmanuel Boudot-Lamotte.
        Édition de Mariella Di Maio.

5213   MIKHAÏL BOULGAKOV : *Le Maître et Marguerite*.
        Traduction du russe et édition de Françoise Flamant.

5214   JANE AUSTEN : *Persuasion*. Traduction de l'anglais

et édition de Pierre Goubert. Préface de Christine Jordis.

5229 ALPHONSE DE LAMARTINE : *Raphaël*. Édition d'Aurélie Loiseleur.

5230 ALPHONSE DE LAMARTINE : *Voyage en Orient (1832-1833)*. Édition de Sophie Basch.

5269 THÉOPHILE GAUTIER : *Histoire du Romantisme* suivi de *Quarante portraits romantiques*. Édition d'Adrien Goetz, avec la collaboration d'Itaï Kovács.

5278 HERMAN MELVILLE : *Mardi*. Traduction de l'anglais de Rose Celli, révisée par Philippe Jaworski. Édition de Dominique Marçais, Mark Niemeyer et Joseph Urbas. Préface de Philippe Jaworski.

5314 ALEXANDRE DUMAS : *Gabriel Lambert*. Édition de Claude Schopp.

5328 ANN RADCLIFFE : *Les Mystères de la forêt*. Traduction de l'anglais de François Soulès, révisée par Pierre Arnaud. Édition de Pierre Arnaud.

5334 MONTESQUIEU : *Histoire véritable et autres fictions*. Édition de Philip Stewart et Catherine Volpilhac-Auger.

5357 E.T.A. HOFFMANN : *Contes nocturnes*. Traduction de l'allemand de F.-A. Loève-Veimars. Édition de Pierre Brunel.

5370 *Journaux intimes. De Madame de Staël à Pierre Loti*. Édition de Michel Braud.

5371 CHARLOTTE BRONTË : *Jane Eyre*. Traduction de l'anglais et édition de Dominique Jean. Préface de Dominique Barbéris.

5385 VIRGINIA WOOLF : *Les Vagues*. Traduction de l'anglais et édition de Michel Cusin, avec la collaboration d'Adolphe Haberer.

5399 LAURENCE STERNE : *La Vie et les Opinions de Tristram Shandy, Gentleman*. Traduction de l'anglais d'Alfred Hédouin, révisée par Alexis Tadié. Édition d'Alexis Tadié.

5413 THOMAS MORE : *L'Utopie*. Traduction du latin

de Jean Le Blond, révisée par Barthélemy Aneau. Édition de Guillaume Navaud.

5414 MADAME DE SÉVIGNÉ : *Lettres de l'année 1671*. Édition de Roger Duchêne. Préface de Nathalie Freidel.

5439 ARTHUR DE GOBINEAU : *Nouvelles asiatiques*. Édition de Pierre-Louis Rey.

5472 NICOLAS RÉTIF DE LA BRETONNE : *La Dernière Aventure d'un homme de quarante-cinq ans*. Édition de Michel Delon.

5487 CHARLES DICKENS : *Contes de Noël*. Traduction de l'anglais de Francis Ledoux et Marcelle Sibon. Préface de Dominique Barbéris.

5501 VIRGINIA WOOLF : *La Chambre de Jacob*. Traduction de l'anglais et édition d'Adolphe Haberer.

5522 HOMÈRE : *Iliade*. Traduction nouvelle du grec ancien et édition de Jean-Louis Backès. Postface de Pierre Vidal-Naquet.

5545 HONORÉ DE BALZAC : *Illusions perdues*. Édition de Jacques Noiray.

5558 TALLEMANT DES RÉAUX : *Historiettes*. Choix et présentation de Michel Jeanneret. Édition d'Antoine Adam et Michel Jeanneret.

5574 RICHARD WAGNER : *Ma vie*. Traduction de l'allemand d'Albert Schenk et Noémi Valentin. Édition de Jean-François Candoni.

5615 GÉRARD DE NERVAL : *Sylvie*. Édition de Bertrand Marchal. Préface de Gérard Macé.

5641 JAMES JOYCE : *Ulysse*. Traduction de l'anglais par un collectif de traducteurs. Édition publiée sous la direction de Jacques Aubert.

5642 STEFAN ZWEIG : *Nouvelle du jeu d'échecs*. Traduction de l'allemand de Bernard Lortholary. Édition de Jean-Pierre Lefebvre.

5643 STEFAN ZWEIG : *Amok*. Traduction de l'allemand de Bernard Lortholary. Édition de Jean-Pierre Lefebvre.

5658   STEFAN ZWEIG : *Angoisses*. Traduction de l'allemand de Bernard Lortholary. Édition de Jean-Pierre Lefebvre.

5661   STEFAN ZWEIG : *Vingt-quatre heures de la vie d'une femme*. Traduction de l'allemand d'Olivier Le Lay. Édition de Jean-Pierre Lefebvre.

5681   THÉOPHILE GAUTIER : *L'Orient*. Édition de Sophie Basch.

5682   THÉOPHILE GAUTIER : *Fortunio – Partie carrée – Spirite*. Édition de Martine Lavaud.

5700   ÉMILE ZOLA : *Contes à Ninon* suivi de *Nouveaux Contes à Ninon*. Édition de Jacques Noiray.

5724   JULES VERNE : *Voyage au centre de la terre*. Édition de William Butcher. Illustrations de Riou.

5729   VICTOR HUGO : *Le Livre des Tables. Les séances spirites de Jersey*. Édition de Patrice Boivin.

5752   GUY DE MAUPASSANT : *Boule de suif*. Édition de Louis Forestier.

5753   GUY DE MAUPASSANT : *Le Horla*. Édition d'André Fermigier.

5754   GUY DE MAUPASSANT : *La Maison Tellier*. Édition de Louis Forestier.

5755   GUY DE MAUPASSANT : *Le Rosier de Madame Husson*. Édition de Louis Forestier.

5756   GUY DE MAUPASSANT : *La Petite Roque*. Édition d'André Fermigier.

5757   GUY DE MAUPASSANT : *Yvette*. Édition de Louis Forestier.

5763   *La Grande Guerre des écrivains. D'Apollinaire à Zweig*. Édition d'Antoine Compagnon, avec la collaboration de Yuji Murakami.

5779   JANE AUSTEN : *Mansfield Park*. Traduction de l'anglais et édition de Pierre Goubert. Préface de Christine Jordis.

5799   D.A.F. DE SADE : *Contes étranges*. Édition de Michel Delon.

5810   *Vies imaginaires. De Plutarque à Michon.*
       Édition d'Alexandre Gefen.

5840   MONTESQUIEU : *Mes pensées*. Édition de Catherine
       Volpilhac-Auger.

5857   STENDHAL : *Mémoires d'un touriste*. Édition de
       Victor Del Litto. Préface de Dominique Fernandez.

5876   GUY DE MAUPASSANT : *Au soleil* suivi de *La Vie
       errante et autres voyages*. Édition de Marie-Claire
       Bancquart.

5877   GUSTAVE FLAUBERT : *Un cœur simple*. Édition
       de Samuel Sylvestre de Sacy. Préface d'Albert
       Thibaudet.

5878   NICOLAS GOGOL : *Le Nez*. Traduction du russe
       d'Henri Mongault. Préface de Georges Nivat.

5879   EDGAR ALLAN POE : *Le Scarabée d'or*. Traduction
       de l'anglais et préface de Charles Baudelaire. Édition
       de Jean-Pierre Naugrette.

5880   HONORÉ DE BALZAC : *Le Chef-d'œuvre inconnu*.
       Édition d'Adrien Goetz.

5881   PROSPER MÉRIMÉE : *Carmen*. Édition d'Adrien
       Goetz.

5882   FRANZ KAFKA : *La Métamorphose*. Traduction de
       l'allemand et édition de Claude David.

5895   VIRGINIA WOOLF : *Essais choisis*. Traduction
       nouvelle de l'anglais et édition de Catherine Bernard.

5920   *Waterloo. Acteurs, historiens, écrivains*. Édition
       de Loris Chavanette. Préface de Patrice Gueniffey.

5936   VICTOR HUGO : *Claude Gueux*. Édition d'Arnaud
       Laster.

5949   VOLTAIRE : *Le Siècle de Louis XIV*. Édition de
       René Pomeau. Préface de Nicholas Cronk.

5978   THÉRÈSE D'AVILA : *Livre de la vie*. Traduction de
       l'espagnol et édition de Jean Canavaggio.

6003   ALEXANDRE DUMAS : *Le Château d'Eppstein*.
       Édition d'Anne-Marie Callet-Bianco.

6004   GUY DE MAUPASSANT : *Les Prostituées. Onze
       nouvelles*. Édition de Daniel Grojnowski.

6005   SOPHOCLE : *Œdipe roi*. Traduction du grec ancien de Jean Grosjean. Édition de Jean-Louis Backès.

6025   AMBROISE PARÉ : *Des monstres et prodiges*. Édition de Michel Jeanneret.

6040   JANE AUSTEN : *Emma*. Traduction de l'anglais et édition de Pierre Goubert. Préface de Dominique Barbéris.

6041   DENIS DIDEROT : *Articles de l'Encyclopédie*. Choix et édition de Myrtille Méricam-Bourdet et Catherine Volpilhac-Auger.

6063   HENRY JAMES : *Carnets*. Traduction de l'anglais de Louise Servicen, révisée par Annick Duperray. Édition d'Annick Duperray.

6064   VOLTAIRE : *L'Affaire Sirven*. Édition de Jacques Van den Heuvel.

6065   VOLTAIRE : *La Princesse de Babylone*. Édition de Frédéric Deloffre, avec la collaboration de Jacqueline Hellegouarc'h.

6066   WILLIAM SHAKESPEARE : *Roméo et Juliette*. Traduction de l'anglais et édition d'Yves Bonnefoy.

6067   WILLIAM SHAKESPEARE : *Macbeth*. Traduction de l'anglais et édition d'Yves Bonnefoy.

6068   WILLIAM SHAKESPEARE : *Hamlet*. Traduction de l'anglais et édition d'Yves Bonnefoy.

6069   WILLIAM SHAKESPEARE : *Le Roi Lear*. Traduction de l'anglais et édition d'Yves Bonnefoy.

6092   CHARLES BAUDELAIRE : *Fusées, Mon cœur mis à nu et autres fragments posthumes*. Édition d'André Guyaux.

6106   WALTER SCOTT : *Ivanhoé*. Traduction de l'anglais et édition d'Henri Suhamy.

6125   JULES MICHELET : *La Sorcière*. Édition de Katrina Kalda. Préface de Richard Millet.

6140   HONORÉ DE BALZAC : *Eugénie Grandet*. Édition de Jacques Noiray.

6164   *Les Quinze Joies du mariage*. Traduction nouvelle de l'ancien français et édition de Nelly Labère.

6205 HONORÉ DE BALZAC : *La Femme de trente ans*.
Édition de Jean-Yves Tadié.

6197 JACK LONDON : *Martin Eden*. Traduction de
l'anglais et édition de Philippe Jaworski.

6206 CHARLES DICKENS : *Histoires de fantômes*.
Traduction de l'anglais et édition d'Isabelle Gadoin.

6228 MADAME DE SÉVIGNÉ : *Lettres choisies*. Édition
de Nathalie Freidel.

6244 VIRGINIA WOOLF : *Nuit et jour*. Traduction de
l'anglais et édition de Françoise Pellan.

6247 VICTOR HUGO : *Le Dernier Jour d'un Condamné*.
Édition de Roger Borderie.

6248 VICTOR HUGO : *Claude Gueux*. Édition d'Arnaud
Laster.

6249 VICTOR HUGO : *Bug-Jargal*. Édition de Roger
Borderie.

6250 VICTOR HUGO : *Mangeront-ils ?*. Édition d'Arnaud
Laster.

6251 VICTOR HUGO : *Les Misérables. Une anthologie*.
Édition d'Yves Gohin. Préface de Mario Vargas
Llosa.

6252 VICTOR HUGO : *Notre-Dame de Paris. Une
anthologie*. Édition de Benedikte Andersson.
Préface d'Adrien Goetz.

6268 VOLTAIRE : *Lettres choisies*. Édition de Nicholas
Cronk.

6287 ALEXANDRE DUMAS : *Le Capitaine Paul*. Édition
d'Anne-Marie Callet-Bianco.

6288 KHALIL GIBRAN : *Le Prophète*. Traduction de
l'anglais et édition d'Anne Wade Minkowski. Préface
d'Adonis.

6302 JULES MICHELET : *Journal*. Choix et édition
de Perrine Simon-Nahum. Texte établi par Paul
Viallaneix et Claude Digeon.

6325 MADAME DE STAËL : *Delphine*. Édition d'Aurélie
Foglia.

6340 ANTHONY TROLLOPE : *Les Tours de Barchester*.